U. Knoop:

Das mittelhochdeutsche Tagelied

# MARBURGER BEITRÄGE ZUR GERMANISTIK

herausgegeben

zusammen mit

Josef Kunz und Erich Ruprecht

von

Ludwig Erich Schmitt

Band 52

N. G. ELWERT VERLAG MARBURG

1976

# Das mittelhochdeutsche Tagelied

Inhaltsanalyse und literarhistorische Untersuchungen

von

## Ulrich Knoop

N. G. ELWERT VERLAG MARBURG

1976

zugleich Marburger Dissertation unter dem Titel
Distributionale Inhaltsanalyse und literarhistorische Untersuchung
des mittelhochdeutschen Tageliedes

CIP-Kurztitelaufnahme der Deutschen Bibliothek

Knoop, Ulrich
Das mittelhochdeutsche Tagelied: Inhaltsanalyse u. literarhistor. Unters.
1. Aufl. — Marburg: Elwert, 1976.
(Marburger Beiträge zur Germanistik; Bd. 52)
ISBN 3-7708-0548-8

© N. G. Elwert Verlag Marburg 1976
printed in Germany
Druck: Buch- und Offsetdruckerei H. Kombächer, Marburg/Lahn

*Meinem Vater*

# VORWORT

Die vorliegende Arbeit befaßt sich mit zwei untereinander verbundenen Komplexen: der Bestimmung der Konstituenten einer literarischen Gattung in einer bestimmten Epoche und — darauf aufbauend — der Klärung von literarhistorischen Problemen dieser Gattung. Es wurde ein Weg gefunden, der, begünstigt durch die Tendenz zur Formelhaftigkeit in der mittelhochdeutschen Dichtung, die Paraphrasierung der Phänomene — weil ungenau — vermied und zu einer formalen — und damit universeller verwendbaren Beschreibung führte. Daraus ergibt sich, daß die erstellten Tabellen — ihr Zustandekommen wird genau beschrieben — für sich sprechen sollen und eben gerade keiner erneuten Erläuterung bedürfen, sondern an gleichgeartete Darstellungen der übrigen literarischen Texte dieser Zeit angeschlossen werden können, woraus dann eine Gesamtbeschreibung des literarischen Systems entstünde.

Die hier angewandte Systematik gründet allerdings nicht auf der Prämisse, daß von der Literaturwissenschaft insgesamt der Grad an Exaktheit gefordert werden müsse, den die Naturwissenschaften erfüllen können, sie wird vielmehr nur als ein Hilfsmittel für die Materialdarstellung angesehen, einem Bereich also, in dem Formalisierung und Quantifizierung durchaus legitime Mittel sind. Der hierbei erzielte Gewinn an Genauigkeit ermöglicht nicht nur einen geordneten Überblick, sondern auch die Aufhebung einseitiger Fragestellungen bzw. die Auflösung von Scheinproblemen. Von der Gewichtung des Materials und der veränderten Sicht auf die damit verbundenen Probleme könnten sich neue Impulse für die Literaturgeschichtsschreibung bzw. neue Schwerpunkte für die Interpretation ergeben.

Aufgrund dieser Anlage muß es kein großer Schaden sein, wenn die Arbeit, die im Dezember 1971 dem Fachbereich „Allgemeine und germanistische Linguistik und Philologie" der Philipps-Universität als Dissertation eingereicht wurde, erst jetzt erscheinen kann. Die veränderten akademischen Verhältnisse — und die darauf folgenden verlegerischen und letztlich finanziellen Probleme —, die der mittelalterlichen Philologie nicht mehr freundlich gesonnen sind, aber auch die berufliche Neuorientierung des Verfassers haben die Veröffentlichung der Arbeit immer wieder verhindert oder erschwert.

Eine weitgehende Überarbeitung erschien nach Durchsicht der Literatur, die seit 1972 über das Tagelied gehandelt hat, nicht zwingend notwendig. Die Lieder Wolframs von Eschenbach wurden am meisten diskutiert (vgl. z. B. Wapnewski 1972, Kartschoke 1972 und Nellmann 1974), was seiner, auch in dieser Arbeit ermittelten Sonderstellung (vgl. LISTE 6) entspricht; eine Übernahme der Ergebnisse, insbesondere der textkritischen (Wapnewski 1972), hätte freilich in keinem Verhältnis zu dem nötigen Aufwand gestanden. Auch konnte die Tendenz, die sozialen Implikationen der Wächterfigur stärker zu betonen, die in den genannten Arbeiten, aber auch bei Köhler (1970) und Rieger (1971) zu beobachten ist, nicht gebührend berücksichtigt werden; dies nicht nur, weil die erforderlichen sozialgeschichtlichen Untersuchungen ohnehin nur ein Randgebiet dieser Arbeit betreffen würden, sondern auch, weil eine speziell diesem Thema gewidmete Untersuchung in Arbeit ist. Die Argumentation von J. Saville (1972) ist — soweit es um spezielle Fragestellungen ging — weitgehend berücksichtigt worden; die Verlagerung des Tageliedproblems in den europäischen Rahmen ist natürlich grundsätzlich zu begrüßen, denn dieser ermöglicht erst eine ernsthafte, kulturhistorisch begründete Erörterung. Die Aufhebung der nationalliterarischen Abgrenzungen scheint aber dann bloße Absicht zu sein, wenn — wie bei Saville — der zweite Schritt vor dem ersten getan wird und die nationalliterarischen Thesen der bisherigen Forschung ungeprüft übernommen oder verworfen werden. Dies trifft z. B. auch auf K. Bertau (1972, 757) zu, der sogar den Zeitpunkt der Übernahme der Alba durch die mittelhochdeutschen Dichter anzugeben weiß (1195). Die vorliegende Untersuchung hat es sich zur Aufgabe gemacht, auch diese Lücke durch eine genaue Materialdarstellung und eine kritische Sichtung der Argumente für den mittelhochdeutschen Sprachraum zu schließen.

Hinsichtlich der zeichentheoretisch orientierten Argumentation in Kap. 2 ist nachzutragen, daß diese nur für diesen speziellen Zweck Gültigkeit haben kann und daß Verallgemeinerungen auf dieser Basis meist zu positivistisch geraten — vgl. hierzu die ausführlicher vorgetragene Kritik bei U. Knoop (1974 a und 1974 b).

Insgesamt ist von einer neuerdings wieder in Gang gekommenen Besinnung auf die Geschichte und das Geschichtliche (vgl. Knoop 1975) zu hoffen, daß das eminent anschauliche Lehrbeispiel der mittelalterlichen literarischen Verhältnisse wieder zu vermehrten akademischen Ehren kommt und dann verständlich machen kann, wie kurzsichtig die Fragen nach „der" Relevany in den letzten Jahren gestellt und beantwortet worden sind und wie wenig das Ende bedacht worden ist, zu welchem man Literatur- und Sprachgeschichte studiert.

Mein Dank gilt Prof. Dr. L. E. Schmitt für die Aufnahme der Arbeit in diese Reihe, insbesondere aber für die heute selten gewordene Art der freundlichen Unterstützung und Anleitung, die er meinem akademischen Werdegang angedeihen ließ, sodann meinem Kollegen Ingulf Radtke für die freundschaftliche Hilfe, insbesondere aber für die Zeichnung der Graphiken, dem Verleger Dr. W. Braun-Elwert für die reibungslose Abwicklung der Drucklegung und nicht zuletzt Frau Dr. E. Kaufmann und Frau F. Sauer für die Herstellung von großen Teilen des Typoskripts. Mein besonderer Dank gilt jedoch meinem Vater, dessen Geduld und Großzügigkeit es mir gestattete, den von mir gewünschten Lebensweg einzuschlagen.

Marburg/Lahn, im Dezember 1975.                                                  U. K.

# Inhaltsverzeichnis

# 1.    Der Stand der Forschung

## 1.0. V o r b e m e r k u n g

Die Gattung Tagelied nimmt einen besonderen Raum in der Lyrik ein, und es ist nicht verwunderlich, daß diesem Thema
einige Aufmerksamkeit in der Forschung zuteil wurde. So sind
in dem Zeitraum der annähernd einhundertfünfzigjährigen Geschichte der deutschen Philologie neben zahlreichen Aufsätzen
auch zwei umfangreichere Arbeiten über das deutsche Tagelied
erschienen. Wenn nun diese lyrische Gattung erneut zum Gegenstand einer Untersuchung gemacht wird, so bedarf es einer besonderen Rechtfertigung. Diese Rechtfertigung kann in dem
Nachweis bestehen, daß entweder die Thesen, die aus dem vorhandenen Material abgeleitet wurden, z.T. falsch bzw. nur halb
richtig sind, oder daß das Material unvollständig bzw. inad-
äquat erarbeitet wurde.

Daß im Falle der Darstellung des mittelhochdeutschen Tageliedes sogar beide Bereiche Mängel, Unzulänglichkeiten und Un-
richtigkeiten aufweisen, soll im folgenden belegt werden. Dabei richten wir uns nach der Forderung, geisteswissenschaftli-
cher Arbeit gerecht zu werden, die nach P.Wapnewski (1964,101)
lautet: "Wer sich um einen Gegenstand bemüht, hat zu bestehen
vor seinen Vorgängern"; wir meinen aber, daß die Argumente der
Vorgänger auch einer kritischen Prüfung unterzogen werden müssen. Deshalb ist es auch nicht sinnvoll, einen bloßen For-
schungs b e r i c h t  zu erstellen, zumal es hier darum geht,
zunächst einmal die Forschungsmeinung über das Tagelied zu
eruieren, die eventuell zu Tage tretenden Widersprüche aufzu-
decken, um dann von einem neuen Ansatz aus eine Klärung der
Probleme zu erreichen.

Wie oben schon angedeutet, müssen sowohl die Thesen und Ergebnisse als auch die Darstellung des Materials überprüft werden. Da bei dieser Überprüfung keine Vollständigkeit im Sinne
eines umfassenden Forschungsberichtes angestrebt wird, sondern
ein Resumé der Forschungssituation, gehen wir nicht diachron
entlang der Forschungsentwicklung vor, sondern fassen die
Aspekte dieser Situation unter thematischen Gesichtspunkten

zusammen. Die ausgewählte Literatur setzt sich zusammen aus
allen Monographien und Spezialuntersuchungen, die bisher dem
mittelhochdeutschen Tagelied gewidmet wurden, sowie den Ab-
schnitten aus den gängigen Handbüchern neueren Datums, so daß
einerseits nicht jede Äußerung zum Tagelied berücksichtigt
wird (vor allem die weiter zurückliegenden nicht), andererseits aber die heute vorliegende Auffassung über das Tagelied
in größerer Breite zu Wort kommt.

## 1.1. D e f i n i t i o n s v e r s u c h e
## d e s   T a g e l i e d e s

In der ersten Monographie über das Tagelied, der Dissertation W. de Gruyters (1887,1), wird das Tagelied wie folgt definiert:

> "Das tagelied - im weitesten Sinne gefaßt - hat zum gegen-
> stand den lyrischen ausdruck der empfindung liebender, die
> nach einem durch die nacht begünstigten zusammensein der
> tagesanbruch trennt."

De Gruyter weist auf die 'Dehnbarkeit' dieser Definition
hin. Das wäre allerdings das kleinere Übel, wenn nur eine einheitliche Terminologie gewährleistet bliebe. Mögen der wech-
selnde Gebrauch von "höfisches tagelied" = "höfische tagewe-
ise" noch verständlich (S.9) sein, so sind es die Termini "ta-
gewächterlied" (S.9) und "wächterlied" (S.11) nicht mehr,wenn
letzteres einmal den Morgengesang eines Wächters bezeichnet
(parallel zum Nachtwächterlied) (S.6) und zum anderen das Tagelied, dem die Wächterfigur eignet. Diese nun gewonnene Unterscheidung Tagelied und Wächterlied wird aber auch nicht genau angewandt, denn auf den folgenden Seiten (11-41) übernimmt
der Terminus 'Tagelied' wieder die Bezeichnungsfunktion für
sowohl Tagelied mit Wächterlied als auch Tagelied ohne ein
solches[1].

In seiner Arbeit über das romanische Tagelied - die irre-

---

[1] z.B. S.15 "schönes Tagelied des Markgrafen von Hohenburg",
S.16 "das tagelied Frauenlobs" - beide haben einen Wäch-
tersang.

führend "Studien über das Tagelied" heißt - erkennt G. Schläger
diesen Mangel an einer Definition durchaus[1], erfüllt aber die
Hoffnung, "eine einigermaßen klare und fruchtbare anschauung
des grundtypes (des ritterlich-höfischen Tageliedes im Provenzalischen) zu bekommen" (S.25) mitnichten. Denn an der Stelle,
an der "unser augenmerk auf den allgemeincharakter der einzelnen gedichte" (S.42) gerichtet ist, erfahren wir gerade nichts
von diesem.

Die zweite Monographie (F. Nicklas, 1929) zum deutschen Tagelied kommt zunächst einmal ganz ohne Gegenstandsbestimmung
aus: erst auf S.21 wird zwischen den Tageliedern unterschieden,
die einen Wächter haben, und solchen, die keinen haben. Andererseits erfahren wir auf S.23, daß Morungen "kein echtes Tagelied" verfaßt habe, da der Wächter fehle. Auf S.38 wird der
Terminus 'Wächterlied' eingeführt, womit das Tagelied bezeichnet wird, das "in engster Verbindung mit der Person des Wächters steht".

In der ganzen, 207 Seiten umfassenden Arbeit wird an keiner
Stelle eine konzise Definition des Tageliedes auch nur ansatzweise gegeben, nur auf S.32 erfährt man von der Überlieferung
eines "Urelementes des Tageliedes", dem morgendlichen Weckruf
des Wächters.

Nach H. de Boor (II) stellen MF 39,18, Morungen und Reinmar
"höchstens Vorklang oder Anklang des Tageliedes, nicht wirkli-
che Nachbildung der Alba" (S.329) dar. Demnach wäre Alba =
Tagelied, und es tritt als "echtes Tagelied mit Wächter und
Abschiedsreden" gleich fünffach bei Wolfram v.Eschenbach
(ebda.) auf. Dieser Definition entspricht auch die Kennzeichnung von MF 39,18 als "'Tagelied'" und von Morungen als "soge-
nanntes Tagelied" (ebda.), dieser Definition widerspricht aber,
das MF 39,18 ohne nähere Erläuterung als Tagelied bezeichnet
wird (S.247) und daß die Alba doch nicht ganz dem Tagelied
gleich zu sein scheint: "dem Typus der Alba steht das 4. Tage-

1) G.Schläger (1895) S.15: "Um aber für diese untersuchung
   einen festen standpunkt zu gewinnen, der meines erachtens
   noch immer gefehlt hat, ist es vor allem nötig, sich prinzipiell die bedeutung einer solchen benennung klar zu machen."

lied" von Wolfram am nächsten (S.330).

Zwei Lexika der Literaturwissenschaft bieten in einer kurzen Zusammenfassung endlich eine Übersicht über die in der Literatur verstreut angeführten Phänomene, die man als konstitutiv für das Tagelied ansieht.

"Tagelied, in Thema und Aufbau eigene Gattung des europ. Minnesangs, schildert als fiktives Erlebnis Abschied und Trennung zweier Liebender nach e. unerlaubten Liebesnacht im Morgengrauen, an dessen Anbruch der Ostwind, e. Vogelstimme, bes. häufig das Horn oder der warnende Ruf des Wächters von der Zinne, der um die Situation der beiden weiß, gemahnt ("Wächterlied"). Diese Einleitung, darauf Rede und Gegenrede der Liebenden, die der Tag auseinanderreißt, oder auch aller drei Beteiligten einschließlich des Wächters, Liebkosungen und Liebesbeteuerungen, zärtlichschmerzlicher Abschied und Klage der verlassenen Frau bilden den Gegenstand der mehrstrophigen Lieder, die aus der Spannung zwischen einem stark sinnlichen Element und der ständigen Gefahr der Entdeckung leben und die Ursituation in mannigfacher, schillernder Abänderung balladesk darstellen. Obwohl seine Voraussetzungen der eigentlichen Minnehaltung widersprechen, findet es im Minnesang bes. Beliebtheit." 1)

"Tagelied: Besondere lyrische Art des Minnesangs. Das Motiv ist der Abschied der Liebenden am Morgen, meist eingel. vom warnenden Ruf des Wächters, der den Tag verkündet. Dieser Weckruf und die ihm folgenden Liebkosungen und Liebesbeteuerungen in Rede und Gegenrede bilden den Inhalt dieser mehrstrophigen Gebilde." 2)

Doch bleibt diese Zusammenfassung ohne Auswirkung auf die nachfolgenden Untersuchungen. Denn selbst in dem monumentalen Werk, das A.T.Hatto (1965) herausgegeben hat, und zu dem er die Einleitung und den Artikel über das deutsche Tagelied geschrieben hat, findet sich keine Definition des Tageliedes, die er dann auch tatsächlich überall anwenden würde. Hatto stellt die Entstehung des Terminus dar, demnach das mittelhochdeutsche Wort "tageliet" zunächst bedeutet: "ditties sung by the watch at dawn to rouse the castle" (429), welcher Ausdruck seit 1250 für die Liedgattung der erotischen "dawn songs" gilt. Das, was aber nun genau den Inhalt dieser Gatgung ausmacht, wird von Hatto nur ungenau beschrieben:

---

1) G.v.Wilpert (1961) S.618.
2) Kleines Lit.Lexikon (1966) S.404.

"In tageliet (the singular is identical with the plural)
a pair of lovers are commonly revealed in a secret chamber
of a castle. Apart from a hint that the chamber is some-
where in a palace all we know is that it may have windows
of glass. The watchman on the battlement announces day-
break in his own sort of tageliet or blows his horn. In
confirmation, for those who have eyes to see and ears to
hear, light begins to steal through the windows and birds
to sing in the thicket. The situation is one of some dan-
ger for the lovers, even though convention has it that
the watchman is on their side. The further progress of the
poem will depend on the lady's response to the advice of
this good friend" (S.430).

Es muß zum mindesten fraglich bleiben, ob solche Inhaltsmomente, wie z.B. Kemenate und Glasfenster die Rolle spielen,
die ihnen in dieser kurzen Beschreibung eingeräumt wird. Wie
ungenau diese Beschreibung offensichtlich ist, zeigen die ein-
schränkenden Wendungen, die Hatto in Bezug darauf anbringt:

"Almost all tageliet conform to this pattern .... Yet the
vast majority of tageliet are variations of the theme
described" (S.430).

Darüber hinaus setzt Hatto eine Identität von Alba = Tagelied an (81), die er allerdings dann nicht aufrecht erhält,
wenn er MF 39,18 einerseits als 'tageliet' bezeichnet, andererseits aber dessen Unabhängigkeit gerade von der Alba betont (S.75/80).

Es zeigt sich also, daß die Lexika eine relativ klare Definition des Tageliedes vermitteln, für die natürlich keine Vollständigkeit zu beanspruchen ist, während gerade die Untersuchungen, deren Aufgabe es wäre, eine übersichtliche und eindeu-
tige Beschreibung des Tageliedes zu liefern, dazu nicht im
Stande sind. Entweder geht man davon aus, daß doch eigentlich
jeder wisse, was ein Tagelied sei und dies auch im Verlauf der
Darstellung klar werde, oder man ist dazu nicht in der Lage.
Fehlt in den Untersuchungen von W.de Gruyter bis A.T.Hatto
schon eine klare Umgrenzung dessen, was unter "Tagelied" zu
verstehen ist, so vermißt man vollends eine Relation der inhaltlichen Momente, die den Charakter des mittelhochdeutschen
Tageliedes ausmachen. Wir werden hierauf noch bei der Erörterung der Materialdarstellung zurückkommen.

## 1.2. Forschungsprobleme

### 1.2.1. Entstehung und literarische Abhängigkeiten
### (Alba, Wolfram von Eschenbach)

Die Begriffe, die im Zusammenhang mit dem mittelhochdeutschen Tagelied auftreten - Wächter-(tage)-lied, Alba -, stellen zugleich ein Abbild der Probleme dar, mit denen die Forschung seither befaßt war. Unter dem Eindruck einer fast
schlagartig einsetzenden Überlieferung dieser lyrischen Gattung stand die Frage der  E n t s t e h u n g   im Mittelpunkt
des Interesses. Die Diskussion verlief fast genauso wie die
über die Ursprünge des Minnesangs, ist aber spätestens mit dem
Erscheinen des umfänglichen Werkes 'Eos' (A.Hatto, 1965) als
abgeschlossen zu betrachten: das Tagelied als Gattung ist Bestandteil der Lyrik vieler Völker, Abhängigkeitsthesen bedürfen subtiler Untersuchungen und sind nicht einfach durch die
Chronologie bewiesen. Das gilt aber nur für das Tagelied überhaupt, nicht jedoch für das mittelhochdeutsche, das ja ein
besonderer Bestandteil des Minnesangs ist. Der mittelhochdeutsche Minnesang aber, so die einhellige Meinung, steht in Abhängigkeit zur Lyrik der provenzalischen und nordfranzösischen
Troubadours. Da beide romanischen Literaturen auch über die
Gattung Tagelied verfügen (prov. alba, afrz. aubade), mittelhochdeutsches Tagelied und alba bzw. aubade gewisse Ähnlichkeiten aufweisen, wurde die mittelhochdeutsche Lyrik als neh-
mender, die romanische als gebender Teil angesehen.

Dies war neben anderen die Ansicht von Karl Bartsch, der in
einem Aufsatz zum ersten Mal die romanischen und deutschen Tagelieder untersuchte (Bartsch, 1883), und die Walter de Gruyter zum Vorwurf für seine Dissertation von 1887 nahm. Nach ihm
hat das Tagelied den lyrischen Ausdruck der Empfindungen von
Liebenden zum Gegenstand, die nach einem durch die Nacht be-
günstigten Zusammensein der Tagesanbruch trennt[1]. Aufgrund
dieser Begriffsbestimmung lehnt de Gruyter ein romanisches

---

1) W.de Gruyter (1887) S.1; vgl. Kap. 1.1.

Vorbild für die deutschen Tagelieder ab:

> "denn die elemente, aus denen es (das deutsche Tagelied)
> sich zusammensetzt sind so einfach und die vereinigung
> derselben zur gesammtsituation ist so natürlicher art,
> daß eine derartige abhängigkeit durch gar nichts begrün-
> det wird" (S.2).

De Gruyter erhärtet seine in dieser Form keineswegs einleuchtende These mit einem Vergleich des von ihm und W. Scherer
(1891) als ersten mittelhochdeutschen Tageliedes angesehenen
MF 39,18 mit einer anonymen Alba[1]. Für Scherer ist MF 39,18
von dieser Alba abhängig, was de Gruyter allerdings nicht akzeptiert: "Es gelingt Scherer nicht, seine ansicht abhängiger
verwandtschaft auf seiten des dem Dietmar zugeschriebenen tageliedes durch irgend etwas zu stützen" (S.5). In einem wesentlichen Punkt räumt de Gruyter allerdings romanischen Einfluß ein: "obgleich eine unbedingte notwendigkeit ... nicht
vorliegt", geschieht die Erweiterung der Tageliedhandlung um
einen (weckenden) Wächter nach "französischem" Muster[2]. Wieder wendet sich de Gruyter gegen Scherer, wenn er behauptet:
"Wolfram (von Eschenbach) führt, so weit die überlieferung
beurteilen läßt, das tagwächterlied in deutschland ein"[3].

Wenn de Gruyter allerdings nun behauptet: "Wolfram dichte-
te seine tagelieder nach französischem vorbild"[4], so steht er
im Widerspruch zu seiner These 'Tagelied in keiner Abhängigkeit', zumal er mit keinem Wort von einer Kontinuität MF 39,
18 zu Wolfram spricht. Vollends unglaubwürdig wird seine Argumentation aber dadurch, daß er einerseits für Morungens
Lied MF 143,22 ein romanisches Vorbild für höchst wahrscheinlich hält (Argument: der Refrain, ein typisches Merkmal der
Alba) und damit abermals seine These vom eigenständigen deutschen Tagelied untergräbt, andererseits aber weder für Morun-

---

1) Nach A.Hatto (1965) S.358 Nr.1 ("En un vergier sotz fuella
   d'albespi ...").
2) ebda. S.6. Notwendig deshalb nicht, weil de Gruyter auf
   die alte deutsche 'Sitte' des Morgensangs des Wächters verweist und hierzu auch literarische Belege bringt (S.6).
3) ebda. S.9. Scherer (1898) S.111: "Wolfram hat das Wächterlied weder erfunden noch in Deutschland eingeführt".
4) W.de Gruyter (1887) S.4; ebenso S.24.

gen noch für Wolfram irgendein romanisches Vorbild vorweisen
kann. Wir müssen zu dem Schluß kommen, daß de Gruyter seine
anfangs aufgestellten Thesen mit unbewiesenen Behauptungen
widerlegt.

Wolfram nimmt in der Tagelieddichtung aufgrund der poeti-
schen Exzeptionalität seiner fünf Lieder, aber auch wegen der
Wächterfrage und den chronologischen Verhältnissen eine
Schlüsselstellung ein. Die Argumentation de Gruyters - und,
wie noch zu zeigen sein wird, auch anderer - ist hierbei abermals bar jeder Logik. Einerseits räumt de Gruyter Wolframs Liedern erheblichen Einfluß auf das mittelhochdeutsche Tagelied
ein:

> "das in der hauptsache von Wolfram gelieferte material
> versuchten nachahmer immer und immer wieder zusammenzu-
> stellen, wobei es auch selbständigen naturen oft nicht
> gelang, ihre freiheit zu wahren" (S.27).

Andererseits wird aber zugegeben, daß Wolframs stilisti-
scher Einfluß verhältnismäßig gering war: "es war schwer, ihm
zu folgen" (S.41).

G.Roethe (1890), in einer Rezension zu der Arbeit von de
Gruyter, merkt hierzu an: "der geheimnisvolle Widerspruch löst
sich dahin, daß beides falsch ist, falscher ist freilich das
zweite" (S.94). Gemäß dem Charakter seiner Arbeit deutet Roethe nur an, inwiefern er einen Einfluß Wolframs verfolgen kann
(S.95/96). Roethe zweifelt auch die These de Gruyters an, daß
Wolfram den Wächter eingeführt habe (S.90), sagt aber an keiner anderen Stelle, von wem oder wo dieses Phänomen und andere
Elemente der romanischen Alba ('alba' = Morgengrauen und Re-
frainwort) übernommen worden sei; "es ist ein ganz müßiger
Wunsch, einen bestimmten zum Träger dieses Einflusses zu stem-
peln" (S.91). Das mag richtig sein: wir erfahren aber nirgends,
welche Elemente der Alba konstitutiv für diese sind und in
welcher Form diese Eingang in das auch von Roethe als Gattung
existierende mittelhochdeutsche Tagelied fanden[1].

---

1) ebda. S.92 ("der einheimische Kern des Tagelieds").
   Roethes Erörterung des geistlichen Liedes mit Wächter kön-
   nen wir hier außer acht lassen: 1. Roethe sieht selbst die
   Schwierigkeiten in dem Phänomen des  v e r t r a u t e n

Roethes Hinweis (S.97) für die Notwendigkeit einer Fortarbeit an de Gruyters Stoffsammlung ist F.Nicklas Anlaß für eine erneute Untersuchung des Tageliedes (1929). Diese Dissertation wurde von der Fachwelt recht reserviert aufgenommen[1], da sie aber in die Handbücher Eingang gefunden hat, müssen wir uns mit den dort vorgebrachten Ansichten befassen.

Nach Nicklas sind sowohl MF 39,18 als auch Morungen (MF 143,22) von der anonymen Alba (= Hatto, 1965, S.358 Nr.1) abhängig bzw. sind mit ihr verwandt (S.21), ersteres Lied hat auch noch evidente "Übereinstimmung mit dem Liede Ouirant do Bornelles" (S.21). Allerdings kann von "unmittelbarer Benutzung jenes Liedes" (S.22) keine Rede sein. Damit ist für Nicklas der Nachweis für fremden Einfluß erbracht und de Gruyter mit seiner Auffassung vom volkstümlichen Ursprung des Liedes widerlegt (S.23). Es braucht kaum noch hinzugefügt zu werden, daß damit de Gruyter keineswegs widerlegt ist, zumal G.Schläger (1895,19) in seiner Untersuchung über das provenzalische Tagelied darauf hingewiesen hat, daß MF 39,18 nicht nach romanischem Muster gearbeitet ist.

War es schon schwierig, dieser Argumentation zu folgen, so ist es fast aussichtslos zu erkennen, was Nicklas über den romanischen Einfluß allgemein zu sagen hat. Zum Wächter:

> "In den provenzalischen Alben ist er überall zu finden
> mit Ausnahme des einen anonymen Stückes (Suchier prov.
> Denkmäler 318), über dessen Charakter keine eindeutige
> Klarheit besteht. Von dorther, und besonders (!) noch aus
> Nordfrankreich, wo er ja in dem einzigen (!) überlieferten
> Tagelied eine große (!) Rolle spielt, ist der Wächter in
> dieser besonderen Funktion in die deutsche Lyrik eingewandert. Daß die Person des Wächters und sein Morgenlied dem
> Deutschen nicht etwas Unbekanntes war, zeigt die ... geschickte Art seiner Verwendung" (S.29).

F a z i t : der Wächter "wanderte" nach Deutschland ein, er war dort aber schon bekannt ... .

---

Wächters (S.89), 2. Datierungsfragen.
2) K.Halbach (1931): "Entgeht nicht ganz der Gefahr, ohne
   eigentliche Marschroute schematische Beobachtungen zu sammeln" (S.540); O.Basler (1930): "reine Stoffausbreitung,
   die unsere bisherige Auffassung über das Tagelied nicht
   ändert" (S.943).

Allgemein zum Einfluß des romanischen Tageliedes auf das
deutsche:

> "Die Nebeneinanderstellung prov., altfrz. und deutscher
> Belege erlaubt uns ein Urteil darüber, wie weit im deut-
> schen Tagelied diese Anlehnung ging. Prov. Einfluß erken-
> nen wir in der Verwendung des Wächters und seiner Verknüp-
> fung mit dem Liebespaar, in der Verbindung von Weckruf
> und Liebeserlebnis und in der leidenschaftlichen Haltung
> der Frau. Man darf jedoch nicht sagen, daß es sich um
> eine einfache Nachahmung handelt. Die Situation, wie sie
> sich im Tagelied darstellt, in ihrer Verknüpfung von Lust
> und Leid, war ohne Zweifel auch den deutschen Dichtern
> nicht fremd. Die Haltung der Frau in den Liedern der älte-
> sten Minnesänger ist sehr stark verwandt mit der, die sie
> in den Tageliedern einnimmt. Es ist vielleicht darum rich-
> tiger zu sagen, der rom. Einfluß zeigte sich in der Nach-
> ahmung der Komposition einer neuen Liedgattung und darin,
> daß verschüttete Strömungen wieder in Fluß gebracht wur-
> den. Er liegt also vorwiegend im Formalen. Überlegen wir
> uns, daß die prov. Alba (altfrz. aube) ja eigentlich gar
> kein Tagelied im strengen Sinn, d.h. kein Tagelied nach
> dem deutschen Muster ist, so erkennen wir, daß das rom.
> Lied sich im Deutschen eine starke Modifizierung gefal-
> len lassen mußte, daß der deutsche Minnesang ihm unbe-
> schadet der erkennbaren Spuren seiner Herkunft seinen be-
> sonderen Stempel aufgedrückt hat" (S.92).

F a z i t : der romanische Einfluß liegt also vor allem im
Formalen[1], wozu Nicklas allerdings an anderer Stelle sagt,
daß gerade das Formale der Alba k e i n e Nachahmung fände[2].

Zu Wolfram und seiner Stellung äußert sich Nicklas in ähnlicher Weise, 'demnach alle charakteristischen Merkmale auf
Wolfram zurückgehen' und 'seine Konzeption zum herrschenden
Schema wird', 'sein Einfluß aber nicht so deutlich fühlbar'
ist, wie man es nach seiner (Nicklas') Darstellung annehmen
könnte (S.94).

Obwohl weder de Gruyter noch Nicklas[3] eine eingehende Analyse mittelhochdeutscher Tagelieder im Vergleich zur Alba

---

1) Nicklas verliert in dieser Zusammenfassung die beiden ersten Punkte - zwei Sätze vorher - völlig aus den Augen.
2) Nicklas (1929) S.86. Auf weitere Argumente des Zitats ein-
   zugehen, ist sinnlos, wenn man den Satz bedenkt: die prov.
   Alba ist ja eigentlich "kein Tagelied nach deutschem Muster" - weiter oben aber von der Nachahmung der Alba im
   Tagelied die Rede ist.
3) Bei Nicklas endet dieser 'Vergleich' wie gezeigt recht un-
   befriedigend, de Gruyter führt ihn wegen seiner Unabhän-
   gigkeitsthese wohl nicht durch.

vollzogen haben, festigt sich in der Wissenschaft sowohl die
Meinung eines Einflusses als auch eine vermeintliche einheitliche Auffassung über die Merkmale der Alba. Darüber hinaus
tritt eigenartigerweise - also obwohl die Alba Vorbild sein
soll - die Frage in den Vordergrund, ob Wolfram der "Erfinder"
(Lachmann) der Tagelieder sei. Roethe und Scherer haben dies
bekanntlich bestritten (s.o.) und auch W.Mohr (1948), der dieses Problem untersucht, kommt zu dem Ergebnis, daß "das Tagelied des Hohenburgers dem provenzalischen Tagelieds ähnlicher
als irgendeines von Wolframs Tageliedern (ist). ... es stammt
nicht von Wolfram ab" (S.152). Andererseits wird aber eine Abhängigkeit Ottos von Botenlauben von Wolfram festgestellt
(S.153). Mohr sieht Wolframs Bedeutung genau wie Scherer in
der "virtuosen Behandlung und dem künstlerischen Ernst" (S.
155). C.v.Kraus/H.Kuhn (1958) haben die These Mohrs, daß Hohenburgs Tagelied Ausgangspunkt für Wolfram habe sein können, be-
stens widerlegt: "Überblickt man das, was sich an Ähnlichkeiten und thematischen Motiven für Hohenburg aus Wolframs Liedern ergeben hat, und fragt nach dem, was ohne Entsprechung
bleibt, so ist es nahezu nichts" (S.654). Bei dieser Gleichheit gebühre aber dem Dichter Wolfram rangmäßig der Vortritt
(S.655) - was jedoch nicht als Argument gelten kann, sondern
nur als Geschmacksurteil.

Mohr stellt für das Tagelied Hohenburgs große Ähnlichkeiten mit der Alba fest, obwohl keineswegs klar ist, was für
diese konstitutiv ist. Aufgrund dieser ungeklärten Verhältnisse muß es für ein Handbuch, wie die Literaturgeschichte H.de
Boors (II) schwierig sein, die P r o b l e m e  des Tageliedes plausibel darzustellen. Wir erfahren, daß der Typus des
Tageliedes mit Wächterweckruf nicht in Deutschland 'erfunden'
wurde, sondern daß dieser Typus durch die provenzalische Alba
geprägt worden ist (S.329). Obwohl bislang keine exakten Be-
weise dafür gebracht wurden, ist aber auch bei Morungen MF
143,22, das gerade den signifikanten Wächter nicht hat, "der
Einfluß des romanischen Tageliedes sicher" (S.329) - die Frage bleibt: w e l c h e n  romanischen Tageliedes!

Für de Boor ist andererseits Wolfram "der eigentliche

Schöpfer des deutschen Tageliedes" (S.328), während er aber
eine Seite weiter eingesteht: "die Beurteilung der textlichen
Abhängigkeiten zwischen diesen sich zeitlich so nahestehenden
klassischen Tageliedern Wolfram, Hohenburg, Otto Botenlauben
wird ... immer unsicher bleiben" (S.329). Für Otto von Botenlauben hält de Boor aber sowohl Abhängigkeit von Wolframs Vorbild für erwiesen (Lied 13) als auch, daß "die drei Tagelieder
(3, 9+4, 13) ... dem romanischen Typ der alba mit Wächterrolle"
folgen (S.326).

Für MF 39,18 scheint es de Boor denkbar, vom Einfluß der
Alba abzusehen (S.329). Ähnlicher Auffassung sind auch J.A.
Robertson und E.Purdie: "Dietmars Verse sind so schlicht, daß
er sich offensichtlich kaum an provenzalische Vorbilder anzu-
lehnen brauchte"[1]. Wie kontrovers die Vorstellungen über die
Alba einerseits und MF 39,18 andererseits in der Literaturwissenschaft weiterhin sind, zeigt die Auffassung von W.T.K.
Jackson (1967, 273): Dietmars "charmantes tageliet (alba)
zeigt viele Eigenheiten der provenzalischen Form".

1965 erschien ein großes und wohl auch großartiges Sammel-
werk, das von einem Kenner des Tageliedes herausgegeben wurde:
A.T.Hatto, der auch die Einleitung und das Kapitel über das
mittelhochdeutsche Tagelied verfaßte. Im Verhältnis Alba -
mittelhochdeutsches Tagelied (Übernahme, Wächter, Wolfram)
entgeht Hatto aber auch nicht einigen Widersprüchlichkeiten.

Zunächst einmal beseitigt er aber länger gepflegte Vorurteile: Zwischen MF 39,18 und dem anonymen Lied (bei Hatto, S.
358, Nr.1) "En unvergier sotz fuella d'albespi ..." besteht
keine Abhängigkeit (S.79/80); für Morungen wurde bislang noch
kein romanisches Vorbild gefunden - trotz Refrain (S.436); MF
39,18 und ein Lied aus carm. bur. siedelt Hatto in der vorhöfischen Epoche an (S.436). Diese vor-höfische Epoche wird
durch den Einfluß der Provence und Nordfrankreichs verändert
(S.436), und zwar wird vor allem der Wächter übernommen

---

1) I.A.Robertson/E.Purdie (1968) S.63. Die Argumentation ist
   ähnlich unpräzise ("schlicht") wie die de Gruyters, zu-
   sätzlich aber noch ausweichend ("kaum"); von den Vorbildern erfährt man nichts.

(S.432), wobei Hatto nicht unbedingt Wolfram als den Überneh-
mer ansehen möchte (S.436).

Von solcher Übernahme ist freilich auch noch an anderen
Stellen die Rede (S.34,80,81), ohne daß endlich einmal in der
nunmehr hundertjährigen Forschung bewiesen und gezeigt würde,
wie und wo dieser Einfluß stattfindet. Im Gegenteil:

> "Readers of this work may easily convince themselves by
> reference to the Old Provencal and Old French section
> (pp. 348f., above) that no alba or aube with watchman is
> known which is certainly prior to the end of the twelfth
> century, the time to which we must assign Wolfram's tage-
> liet. There is only one alba of any type which is certain-
> ly earlier than 1200 and this is the one by Guiraut de
> Borneilh (our Alba No.2); but its words of warning are
> spoken by a companion who stands in a more intimate rela-
> tionship to the loyer than the friendliest of watchman.
> Cadenet's alba (our Alba No.3) stands nearest to Wolfram's
> in the sentiment that animates its watchman, but it falls
> too late to have been Wolfram's source" (S.437).

Zwei Zeilen weiter heißt es: "he (Wolfram) gave a great weight
... to a literary novelty from abroad". F a z i t : eine
Alba, die inhaltlich nur in etwa Wolframs Tageliedern entsprä-
che, kann vor 1200 nicht ausgemacht werden, trotzdem ist es
eine literarische Neuheit aus dem Ausland für ihn - das auch
angesichts der Auffassung vom vorhöfischen Tagelied (MF 39,
18, s.o.).

J.Bumke (1967), der die deutsch-romanischen Literaturbezie-
hungen im Mittelalter untersucht, stimmt Hatto, de Boor, de
Gruyter u.a. bezüglich MF 39,18 zu und sieht erst in der
Übernahme der Wächterfigur das Personal des höfischen Tageliedes vollzählig, das nach dem Vorbild der Alba gemacht ist
(S.48). Bumke spricht es Wolframs Einfluß zu, daß die deutschen Tagelieder enger miteinander verwandt sind als die sehr
verschiedenartigen romanischen Tagelieder (S.48). Wiederum
werden alte Clichés vorgebracht, wiederum werden Lieder gefunden, die der romanischen Alba näher stehen, allerdings lassen
sich keine bestimmten Vorbilder namhaft machen ... (S.48).

Und auch die neuesten Abhandlungen zu mittelhochdeutscher
Lyrik behalten diese Clichés bei: Schottmann setzt für Morungen MF 143,22 "direkten Kontakt mit prov. Vorbildern vor-

aus"[1] und hält bei Hohenburg neue romanische Einflüsse für
möglich[2], "den Wächter führt, soweit wir (Schottmann) sehen
können, Wolfram ein"[3].

K.D.Jaehrling - in seiner Dissertation über Otto von Botenlauben (1970) - wiederholt dann noch einmal das alte Beweis-
schema: "Es steht außer Frage, daß Otto von Botenlouben die
romanische Dichtung gekannt hat, sicher hat sie seine Dichtung
auch beeinflußt, nur sind die Einflußsphären eben nicht genau
zu bestimmen ..." (S.173).

Auch die überlegt vorgetragene Argumentation von P.Wapnew-
ski (1972) vermag letztlich nicht zu überzeugen. Zwar hat seine These, daß Wolfram mit seinen Variationen des Tageliedes
und der Wächterfigur zugleich auch die Problematik und damit
einen tieferen Einblick in das Wesen dieser Gattung offenbart,
einiges für sich (S.246). Nicht einleuchtend erscheint dagegen die Überfrachtung dieser These mit gleich zwei weiteren,
die nicht mit Hilfe der Gedichte Wolframs erläutert werden
können. Mit dem Hinweis auf die widerlegte Vorgängerschaft
von Otto von Botenlauben oder des Markgrafen von Hohenburg
sind noch nicht  a l l e  Möglichkeiten eines Wächters
v o r  Wolfram widerlegt (MF 39,18!); gerade die spärlichen
Zeugnisse der prov. Alba und ihre Inhomogenität zudem (die
Wapnewski selbst referiert, S.247) können zunächst keinen Anspruch auf Vorbildlichkeit erheben; der wirklich lückenlose
Beweis, daß die Wächterfigur "provenzalischer Import" (S.246)
ist, steht also immer noch aus, wie auch der Beweis für die
Übernahme der ganzen Gattung aus dem Provenzalischen.


## 1.2.2. Volksliedthesen

Neben den Thesen zu Abhängigkeit von provenzalischer Alba,
Wächter und Wolframs Bedeutung gab es auch solche, die den

---

1) Schottmann (1971) S.489 - obwohl er Hatto als Literatur
   angibt.
2) ebda. Obwohl v.Kraus/Kuhn die Motiv- und Elementengleich-
   heit Wolfram - Hohenburg nachgewiesen haben (s.o.).
3) ebda. Ein Beweis bleibt aus.

volkstümlichen Charakter des Tageliedes betonten. Nach de
Gruyter, der dies als eine These aufstellte[1], hat vor allem
G.Schläger, allerdings mehr prinzipiell, auf diese Möglichkeit
der Literatur hingewiesen:

> "Überall, wo die schaffende phantasie eines volkes, d.h.
> des durchschnitts der darunter zusammengefaßten persön-
> lichkeiten, überhaupt bis zu einem nicht mehr ganz primi-
> tiven ausdrucke lyrischer Stimmung vorgeschritten ist ...,
> findet sich häufig auch das scheiden zweier liebender, ein
> ganz alltägliches vorkommnis, behandelt" 2).

Schläger stellt diesem tatsächlich vorhandenen 'volkstümlichen tagelied' (S.17) dasjenige Tagelied gegenüber, das seine
wesentlichen Inhalte aus der höfisch-ritterlichen Poesie her-
leitet. Diese beiden Gruppen von Gedichten (volkstümlich;
ritterlich-höfisch) müssen vollständig voneinander getrennt
werden, sonst wird die "postulierte entstehung der höfischen
gattung aus dem volkslied in der (mhd., frz.) einzellitera-
tur" nachgewiesen, was nach Schläger ein Trugschluß ist(S.24).
Diese an sich erwägenswerte Klarstellung fand bis heute be-
zeichnenderweise keine Resonanz in der Forschung[3]: Roethe
spricht von volkstümlichen Zügen, die gerade deshalb einsei-
tig übertrieben wurden, weil sie den höfischen Dichtern auf-
fielen[4]; Nicklas leugnet volkstümliche Einflüsse auf das Tagelied[5], findet aber dennoch "Urelemente des Tageliedes überliefert" (S.32); de Boor sieht bei MF 39,18 eine Entwicklung
aus den Vorbedingungen des donauländischen Liebesgedichts[6];
Hatto sieht zwei Gedichte, die in 'native manner' verfaßt
sind[7]; Bumke schließt von MF 39,18 auf eine 'volkstümliche
Wurzel' des Tageliedes[8]; und für Schottmann zeigt das Tage-

---

1) vgl. oben; de Gruyter (1887) S.1.
2) G.Schläger (1895) S.15.
3) Wir werden uns deshalb noch damit zu befassen haben.
4) G.Roethe (1890) S.92.
5) F.Nicklas (1929) S.23.
6) H.de Boor (II) S.329. Zu den 'Vorbedingungen' sagt de
   Boor an entsprechender Stelle (S.238 und S.241), daß er
   eigentlich dazu nichts sagen kann: wir erfahren nur, was
   den frühen vom hohen Minnesang unterscheidet.
7) A.Hatto (1965) S.34 u. 436.
8) J.Bumke (1967) S.48.

liedgespräch deutliche Verbindung zu Motiven volkstümlicher Lyrik[1].

Abgesehen von G.Schläger, dessen These von der absoluten Trennbarkeit von höfischen und volkstümlichen Elementen erst überprüft werden müßte, wurde nirgends ein umfassender Vergleich bzw. Distinktion dieser Elemente durchgeführt. Dieses Problem steht also noch zur Erörterung aus.


### 1.2.3. Tagelied und der sogenannte Hohe Minnesang

Da das Tagelied offensichtlich Elemente des Minnesangs aufweist, wurde seine Relation zum sogenannten Hohen Minnesang zum Problem: "Obwohl seine Voraussetzungen der eigentlichen Minnehaltung widersprechen, findet es im Minnesang besondere Beliebtheit"[2]. Einigen Forschern bereitet jedoch gerade das Element der  e r f ü l l t e n  Liebe erhebliche Schwierigkeiten. Bürgerliche Moralideologen entrüsten sich zum Teil: "anstößig lüsterne Gattung"[3], "eine gewisse Lüsternheit"[4], wiegeln ab: "dem Dichter kommt es nicht darauf an, Lüsternheit zu wecken"[5], oder ordnen Wolframs Tagelieder nach ihren Moralvorstellungen an[6]. Die Diskrepanz, die demnach zwischen der These "Hoher Minnesang" (mit unerfüllter Liebe) und dem "Tagelied" als Teil des Minnesangs mit Liebesvollzug besteht, wird aber auch in der Folgezeit nicht überbrückt bzw. erklärt: für de Boor ist das Tagelied ein 'Ventil', das die höfische Konvention als gültig anerkannt hat[7]; Hatto: "they (Tagelieder) form in the Minnesang a striking and, it is alleged, 'contradictory' genre"[8]; für Wentzlaff-Eggebert hebt sich der höfische Minnesang ab von den Liedern, "in denen unverhüllt Lie-

1) H.Schottmann (1971) S.466.
2) G.v.Wilpert (1963) S.618.
3) W.de Gruyter (1887) S.7.
4) F.Nicklas (1929) S.66.
5) ebda. S.27.
6) Vgl. die Beispiele, die P.Wapnewski (1958) für diese inadäquate Literaturkritik anführt.
7) de Boor (II) S.330.
8) A.Hatto (1965) S.428.

besbegegnungen festgehalten werden"[1]; Schottmann: "außerhalb
der strengen Minnekonvention steht das ... Tagelied"[2]; K.D.
Jaehrling (1970,128): "Die Ziele im Tagelied heben sich gänzlich vom Hohen Minnesang ab; an die Stelle des Strebens nach
menschlich-sittlicher Vervollkommnung tritt das Streben nach
Vereinigung." Die Frage, ob dann nicht die Definition dieser
sogenannten "höfischen Minnekonvention" überprüft werden müßte, wurde nicht gestellt, geschweige denn beantwortet.


## 1.2.4. Tagelied als Fiktion

   Aus dem Vorkommen von erotischen Darstellungen im Tagelied[3], hauptsächlich aber aus der besonderen Funktion der
Wächterfigur wird die These hergeleitet, das Tagelied sei
fiktiv. Hierzu führt man an, der Wächter müsse ja eigentlich
dafür sorgen, daß der Frau seines Herrn nichts geschehe, daß
sein lautes Rufen andere (Merker) wecken würde, daß ein Ge-
spräch zwischen Wächter (Zinne) und Frau (Kemenate) aus räum-
lichen Gründen nicht stattfinden könne[4] - kurzum, man hat mit
viel Scharfsinn die Poesie analysiert. Alle haben hierbei

1) F.W.Wentzlaff-Eggebert (1970) S.13.
2) H.Schottmann (1971) S.469.
3) F.Nicklas (1929): "Hier scheint gerade die übersteigerte
   Sinnlichkeit der Darstellung, die oft fast brutale Offenheit ein Gegenbeweis zu sein gegen die Ansicht, alles das
   müsse sich so abgespielt haben ... die heiße sinnliche
   Gier ... zeugt dafür, daß es sich nur um eine Fiktion handeln kann" (S.71). Dazu Nicklas auf S.64: "Die Gesamtheit
   der Anreden ... geben uns ohne Zweifel ein ziemlich ge-
   treues Bild von der Art und Weise, wie die Liebespaare und
   die feine Gesellschaft jener Zeit miteinander zu reden
   pflegten". Eines ist so unbeweisbar wie das andere: wir
   können uns also auf die Erörterung der Fiktion 'weckender
   Wächter' beschränken. Vgl. auch de Boor (III/1) S.345:
   "Es (das Tagelied) ist seit der klassischen Zeit als Gattung anerkannt, eines der Ventile für die hinter aller
   Sublimierung drängenden Forderung der Sinne, freilich nur
   als Fiktion, nicht als unmittelbarer Durchbruch zur Erotik
   als Lebenswirklichkeit."
4) Vgl. de Gruyter (1887) S.7, Roethe (1890) S.89. Schläger
   (1895) S.89 und S.79, vor allem aber Hatto (1965) S.432/
   33, Schottmann (1971) S.489.

übersehen, daß dies mitnichten ein literaturwissenschaftliches Problem ist, sondern höchstens ein literatursoziologisches. Abgesehen davon, ob eine solche Fragestellung - spiegelt der Wächter die Realität wider - überhaupt sinnvoll ist, ist die Klärung mit vielen wissenschaftlichen Hindernissen behaftet. Denn Bedingung für eine solche Aussage ist allemal eine literatursoziologische Analyse, und die setzt nach H.F. Wiegand (1972,11) "erstens werkimmanente Interpretation des Dichtertextes voraus und zweitens - g e t r e n n t  d a v o n ! - historiographisch vermittelte Realitätskenntnis, aus der durch soziologische Schlußfolgerungen Realitäts- und damit verbundene Bewußtseinsstrukturen ermittelt werden können". Für die Erörterung einer literaturwissenschaftlichen Gattung halten wir eine solche Analyse für überflüssig.


## 1.3. M a t e r i a l d a r s t e l l u n g

Es ist deutlich geworden, daß es mit den Ergebnissen der Forschung nicht zum Besten steht. Gleiches muß auch von der Aufbereitung des Materials, das solchen Thesen zugrundeliegt, gesagt werden. Die erste Arbeit, die eine Materialuntersuchung durchführte, ist die Dissertation von W.de Gruyter (1887). Diesem Verfasser oblag es, in sicherlich mühseliger Kleinarbeit das Material erst einmal zu sammeln und zu bestimmen.

Diese Sammlung in gut konzipierter Anordnung vorzulegen, wäre zwar wünschenswert, aber kaum zu erwarten gewesen. So werden die Lieder nach "Ähnlichkeiten" aneinandergereiht, was dann zu ermüdenden Wiederholungen führt[1]. Die vorgefundenen Inhaltsmomente werden weder in einem Überblick zusammengefaßt, noch werden die Relationen sichtbar: Inhaltsmoment wird unterschiedslos an Inhaltsmoment gereiht und offensichtlich nur dann erwähnt, wenn es irgendeinem anderen ähnlich ist. Auch wird kein Unterschied gemacht zwischen dem Inhalt des ganzen

---

1) Z.B. S.17: "ein ähnlich behandeltes Lied ... von verwandter anlage ist auch ..., wie bei ..., von ähnlicher anlage".

Liedes und einzelnen Elementen dieses Liedes. So tritt zutage,
daß de Gruyter keine Rechenschaft darüber ablegt, was er da
vergleicht, aneinanderreiht und herausstellt, mit dem Resul-
tat, daß er am Ende weder sagt (bzw. sagen kann), was denn nun
ein Tagelied ausmacht (Definition), noch dazu in der Lage ist,
seine Sammlung für die Diskussion über die Probleme des Tageliedes nutzbar zu machen.

Die Arbeit, die auf de Gruyter folgt, vermeidet die genannten Fehler, denn G.Schläger (1895) bietet erstens eine über-
legte Anordnung des Materials (S.25-36), zweitens eine Darstellung der Relationen (S.36-43) und drittens eine Erörterung
der Probleme und Thesen zum Tagelied (S.14-25 bzw. 71-88) -
das alles allerdings nur für das romanische Tagelied.

Diese Arbeit und die Kritik von Roethe an der bloßen Mate-
rialsammlung de Gruyters hätten für F.Nicklas (1929) Vorlage
und Hinweis genug sein müssen, um nun das gesammelte Material
planvoll anzuordnen und zu untersuchen - zumal er gerade Roethes Anmerkung zu de Gruyters Arbeit[1] zum Anlaß für die seini-
ge nimmt. Diese bietet jedoch in kaum veränderter Form genau
das[2], was auch schon de Gruyter vorgelegt hatte: eine konzep-
tionslose Aneinanderreihung von Inhaltsmomenten verschieden-
ster Kategorien, die weder zusammengefaßt noch relationiert
werden.

Nicklas will nach eigenem Bekunden "die typischen Stileigenheiten des Tageliedes herausarbeiten" (S.1), doch erklärt
er nicht, was er unter "Stileigenheiten" versteht. Zudem be-
geht Nicklas in der Untersuchung seines Materials einen kras-
sen methodischen Fehler: "Um nun aber einen Ausgangspunkt für
diese Betrachtungsweise zu gewinnen, soll ein Tagelied des
Sängers, den man den 'Tagelieddichter' nennen kann, Wolfram
von Eschenbach, eingehend betrachtet werden. Von diesem Lied

---

1) F.Nicklas (1929) S.1: "In seiner Rezension der Dissertation de Gruyters ... sagt Roethe ..., daß diese Arbeit als
   eine sehr gründliche Stoffsammlung und die Grundlage für
   weitere Arbeiten anzusehen sei. In dieser Feststellung
   liegt die Berechtigung zu der folgenden Arbeit."
2) Es sei am Rande vermerkt, daß Nicklas dem Vorwurf des Pla-
   giats bedenklich nahe kommt.

aus soll dann die Aufstellung der Kategorien für unsere stili-
stische Betrachtung versucht werden" (S.25). Es wird niemanden
verwundern, wenn dann später festgestellt wird: "Wolfram ist
der große Angelpunkt" (in der Entwicklung des Tageliedes)
(S.94). Nicklas möchte nicht Lied für Lied betrachten, weil
das "zu unerträglichen Wiederholungen zwingen" würde (S.25).
Diese Absicht wird dann folgendermaßen verwirklicht (S.46/47):

> "Überladen und barock in Wort und Gefühl ist ...; kühl
> und geradezu rationalistisch klingt ...; im gleichen Ton
> gehen ...; schulmeisterlich lehrhaft ist ...; jeder wär-
> mere Ton fehlt ...",

und S.68:

> "Sehr ins Detail geht ...; ... kommen sehr deutlich zur
> Darstellung; ... ganz bedeutungslos sind ...; ... sind
> trocken dargestellt; ... legt Hauptgewicht auf ...; die
> in ihrem fassungslosen Schmerz gut gezeichnet ist ...;
> ... kein neuer Zug ...; ... bringt nichts Neues ...;
> leidenschaftslos und ruhig fließt die Schilderung darhin
> ...; ... ist nur bemerkenswert durch ...".

So geht natürlich in die Handbücher ein Sammelsurium unge-
ordneter Detailbeobachtung ein. H.de Boor (III,1) S.345/46:

> "Als Normaltypus können wir eine episch-lyrische Szene
> mit drei handelnden und redenden Personen feststellen:
> die Dame, der Ritter, der Wächter. Im Tagelied wird dem
> Liebhaber durchgängig die Bezeichnung 'Ritter' zuteil,
> die das Minnelied meidet, wieder ein Beispiel dafür, bis
> in welche Einzelheiten hinein der Gattungstypus festge-
> legt ist. Dem Wächter fällt der warnende Weckruf bei her-
> angrauendem Tage zu. Unter dem Paar hat die Frau die be-
> wußtere Rolle. Sie vernimmt den Ruf, klagt über das Ende
> der Liebesnacht, mahnt zum Aufbruch. Hier ist ihr die im
> Minnesang verwehrte Möglichkeit gegeben, Liebessehnsucht
> und Liebesglück auszusprechen. Dem Ritter ist weit weni-
> ger Entfaltung gegönnt. Der Augenblick des Abschieds
> bringt eine letzte schmerzliche Steigerung der liebenden
> Hingabe. Der Abschied selber, bei dem auch der Ritter zu
> Worte kommt, ist kein notwendiger, aber ein häufiger Be-
> standteil. Eine berichtende Einleitung, ein berichtender
> Schluß, verbindender Bericht im Inneren können breiter
> entfaltet oder rudimentär sein. Dem Dreischritt des Auf-
> baus entsprechend ist der normale Grundbau dreistrophig."

H.Schottmann (1971) S.489/90:

> "Vielleicht in Fortsetzung des alten Trennungsliedes
> (z.B. MF 4,35) bauen die deutschen Dichter die Rolle der

zurückbleibenden Frau stark aus; daneben reizt sie vor
allem der Wächter, der in der fingierten Situation die
alte Weckrolle der Frau übernahm, damit die Liebenden ganz
frei werden zur Gefühlsaussage (s. Wo. V, 2,5) und der als
Gesprächspartner der Frau die Möglichkeit gibt, die lyrische Stimmung des Ganzen zu nuancieren (s. Wo. II). Die
Folgezeit drängt ihn selten zurück - z.B. Walthers Verbindung von Tenzone und Alba 88,9 -, meist dichtet man an ihm
weiter und sucht seine Rolle rationaler zu erfassen, indem
man ihn etwa als bestechlich oder erpresserisch in die
Handlung einbezieht, z.B. KLD 36,I; 65,III; SM XIII,1.
Überhaupt wird durch Ausweitung (nahtwise) und Komplizie-
rung der äußeren Situation oder auch durch Ausspinnen von
Einzelheiten das balladeske Element gern auf Kosten des lyrischen verstärkt, z.B. Günther von dem Vorste (KLD 17,V;
23 Str.), Bottenlauben (KLD 41,IX/IV), Ulrich von Lichtenstein (KLD 58,XL), Hadlaub (SM XXVII,51). Hadlaub widmet
zwei Lieder (14; 50) nur dem reflektierenden und jetzt selber ängstlichen - städtischen - Wächter."


1.4.  Z u s a m m e n f a s s u n g


Faßt man zusammen, was die Forschung über das Tagelied im
Mittelhochdeutschen bislang an Ergebnissen ausgewiesen hat,
so muß man feststellen, daß das Material zwar einigermaßen
vollständig zusammengetragen worden ist, eine Darstellung aber
noch aussteht und daß die Probleme dieser Gattung noch keineswegs als gelöst angesehen werden können.

Den beiden Monographien ist nicht, oder nur nach mühseliger
Durchforschung des gesamten Textes, zu entnehmen, welche Lieder sie überhaupt als Tagelieder betrachten, denn es fehlt
eine Aufstellung der Dichter mit den Liedern; zwar wurden
flüchtig 'Abhängigkeiten' nachgewiesen, doch zeigen C.v.Kraus/
H.Kuhn (1958, S.656), wie aussichtslos dies ist, wenn einerseits die Elemente inhaltlich gleich sind, andererseits aber
jede chronologische Erörterung ausbleibt. Die einzelnen Elemente, die herausgefunden wurden, werden, ohne irgendwelche
Ordnungskriterien anzuwenden, aneinandergereiht, so daß ihr
Stellenwert auf Grund der Vorkommenshäufigkeit überhaupt nicht
ausgemacht werden kann: ist das Element 'Frau bietet Wächter
Lohn'[1] von gleichem Gewicht wie z.B. die Elemente 'Erotik'

1) F.Nicklas (1929) S.53.

oder 'Gefahr'? Wohl kaum, wenn man sieht, daß ersteres ca.
viermal, letztere jedes mehr als 20 mal in den Liedern vorkommen. Eine Relation dieser Elemente wäre also für eine Auswertung unerläßlich.

So nimmt es kaum noch Wunder, daß die Definitionen entweder widersprüchlich oder unvollständig oder beides zusammen
sind. Und was die Thesen anbelangt, die auf den unzuländlichen
Materialanalysen beruhen, so sind diese entweder ideologisch
verbrämt (erotische Züge seien fiktiv), oder unter Mißachtung
wissenschaftlicher Methodik zustandegekommen (Abhängigkeiten
von prov. Alba: unmittelbarer Beweis steht noch aus, daß die
Lieder die Motive der Alba direkt übernommen haben sollen;
Wächter weckt Liebende als fiktiv: historiographische Darstellung der 'Realität' dieser Zeit steht noch aus, literarische
Aussagen über die Realität verleiten zu Zirkelschlüssen; ein
Dichter (Wolfram von Eschenbach) als 'Erfinder' oder 'Schöpfer' einer literarischen Gattung solcher Konsistenz und Aus-
breitung ist eine literaturwissenschaftliche Einmaligkeit,
die wesentlich besser bewiesen werden müßte).

Das bedeutet, daß eine Untersuchung zum mittelhochdeutschen Tagelied beide Gebiete erneut bearbeiten muß. Wir werden im folgenden erst eine genau konzipierte Relation des Materials vornehmen, die die inhaltlichen Elemente nach Vorkommenshäufigkeit als Konstituenten des mittelhochdeutschen Tageliedes herausstellt und sodann die Probleme erörtern, die
im Zusammenhang mit dem Tagelied noch offen sind (Abhängigkeit, Hoher Minnesang und Erotik, Wächterfrage etc.).

2  Theoretische  Grund-
legung  der  Inhalts-
analyse

## 2.1. F r a g e -  u n d  P r o b l e m s t e l l u n g  d e r  M a t e r i a l d a r s t e l l u n g

Es zeigte sich, daß die bisherigen Darstellungen des Materials des mittelhochdeutschen Tageliedes mit erheblichen Mängeln behaftet sind. Es ist im Rahmen dieser Arbeit nur von peripherem Interesse, wie und warum diese Unzulänglichkeiten zustande kamen und weshalb sie so lange von der Forschung als offensichtlich 'ausreichend' akzeptiert wurden. Keine der Untersuchungen legte Rechenschaft über ihr Verfahren ab, keine nannte Ziel und Zweck, so daß es nicht verwunderlich ist, wenn heute eine fast unbrauchbare und ungeordnete Ansammlung von Fakten vorliegt, deren Stellenwert von jedem anders festgelegt wird.

Deshalb ist es unerläßlich, zunächst einmal Ziel und Zweck dieser Untersuchung anzugeben und die Forderungen aufzustellen, die aus dieser Setzung erfolgen:

1. Aufstellung aller mittelhochdeutschen Tagelieder, sowie tageliedähnlicher Lieder
2. Relationale Analyse des Materials
3. Definition des mittelhochdeutschen Tageliedes.

Diese Absichten werfen natürlich eine ganze Reihe von Fragen auf, deren wichtigste aber wohl die Klärung des Analyseverfahrens ist. Um den Horizont und die Möglichkeiten dieses Vorgehens zu erkunden und dann einzugrenzen, halten wir es für sinnvoll, wenn wir zunächst einmal Prämissen und Ausführungen solcher vorhandener Analyseverfahren prüfen.

## 2.2. Diskussion von vorhandenen Analyseverfahren literari- scher Texte

### 2.2.1. Die Aberranztheorie

Zur Diskussion wird das Analyseverfahren von G.Wienold (1969) ausgewählt, weil es erstens nach Ausweis von Ihwe (1971 b) mit einer Gattungsbestimmung (Kriminalroman) befaßt ist, weil es zweitens von dem wenigen, was bislang auf dem Gebiet der Textlinguistik vorliegt, das einzige ist, das nicht bei der bloßen Theorie verweilt, sondern am Beispiel erläutert, und weil es drittens die Ansätze der Pariser se- miologischen Schule weiterentwickelt und mit der Theorie der Literatursprache, wie sie von der Prager Schule und anderen vorgelegt wurde, verbindet. Als Analyseobjekt hat Wienold zwar einen Roman ausgewählt, doch gibt er zu verstehen, daß bei einigen Änderungen seine Theorie und sein Verfahren auch auf Lyrik anwendbar sein dürften: "Wir möchten ferner behaup- ten, daß ein solches Analysemodell grundsätzlich für alle Texte gilt .." (S.120). Der Hinweis Wienolds auf die Arbeit von A.A.Hill (1951) ist allerdings irreführend. Hill disku- tiert lediglich Prämissen für Analysemodelle, so daß sein Beitrag gerade nicht "primär für Gedichte konzipiert" ist, wie Wienold meint (S.115 Anm.18).

Wir prüfen zunächst die Voraussetzungen, die Wienold für sein Verfahren macht. Wienold geht von den Erkenntnissen der Pariser semiologischen Schule aus, die mit Hilfe eines tria- dischen Modells jedes Erzählsubstrat eines Erzähltextes ana- lysieren kann[1]. Der Mangel dieser Verfahren liege allerdings darin, daß die Auffindungsprozeduren, mit deren Hilfe die Analyse durchgeführt wird, nicht angegeben werden (S.114). Wienold 'glaubt' nun, daß der semiologische Ansatz 'lingui- stischer' wird, wenn "... semantische Operationen in die

---

1) Vgl. Wienold (1969) S.114, der sich hierbei auf Claude Bremond (1964 ff) bezieht.

Elementarstufe der Analyse eingeführt werden" (S.114). Das
bedeutet, daß der Ansatz demnach weniger literaturwissen-
schaftlich sein sollte, was auch ausgesprochen wird:

> "Anstatt der literaturwissenschaftlichen Versuche, die
> entweder eine 'Theorie' des Romans anstreben oder eine
> Reihe für wichtig gehaltener struktureller Momente (Er-
> zählsituation, Raum- und Zeitbehandlung, etc.) interpre-
> tativ erörtern, ... werden (bei Wienold) relativ elemen-
> tare Bestände besprochen" (S.112/13).

Mit 'elementar' und 'linguistisch' wird eine Hinwendung
zur Sprache als Analyseobjekt im Roman propagiert und implizit die Literaturwissenschaft als inkompetent angesehen, alle
Probleme ihrer Objekte selbständig zu klären[1].

Hinsichtlich der Sprache erfahren wir, daß dichterische
Texte von 'der' Grammatik abweichen (S.109). D.h. Dichtung und
mit ihr die Literatursprache im Verhältnis zur Standardsprache
(= 'die' Grammatik) aberrant ist. Wienold schlägt für diese
erweiterte Basis (Zusatzstrukturen, Akzeptabilitätstoleranz
etc.) den Terminus 'Normalform' vor, die bei speziellen zur
'Neutralform' wird. Demnach beschreibt die "linguistische Analyse des Romans ... die den Teilnehmern, Produzenten und Rezi-
pienten gemeinsame Strukturierungskapazität" (S.110)[2]. Das ist
der Ansatzpunkt für weitere differenzierte Überlegungen hinsichtlich der Organisation von Sprache in der Dichtung, etwa
der Unterscheidung zwischen Oberflächen- und Tiefenstruktur
(S.115) und dgl. mehr.

Es mag kleinlich sein, angesichts solch weitgehender Höhen-
flüge, die der Literaturbetrachtung auf die Sprünge helfen
sollen, Einwände vorzubringen, doch muß hierbei eine fast alles entscheidende Prämisse bedacht werden, zumal sie von
Wienold selbst in die Debatte geworfen wird: "Involviert ist

---

1) Vgl. S.110: "Was den Linguisten an vielen Literatur- oder
   allgemeiner kunstsoziologischen Arbeiten verstört ..."
2) Hierfür gilt: "Erst textlinguistisch ist die Beschreibung
   des Verstehens möglich geworden" (S.109)- was richtig sein
   mag, das sich aber dem gegenüber der semiologischen Schule
   erhobenen Vorwurf (Auffindungsverfahren werden nicht ange-
   führt, S.114) selbst nicht entziehen kann.

hier allerdings die ungeheure Aufgabe der internen Klassifikation der Sememe einer Sprache" (S.114). Es erübrigt sich wohl,
auf die Jahrhunderte währenden Bemühungen von Gelehrten gerade
um dieses Problem hinzuweisen. Dennoch kann und soll eine
Theorie nicht mit dem Hinweis auf die Unmöglichkeit ihrer
praktischen Ausführung ad acta gelegt werden. Die Mängel dieser Theorie sind jedoch nicht zu übersehen. Da ist zunächst
das Problem der Literatursprache. Lösungsversuche wurden vor
allem von der Prager Schule gemacht: Die Literatursprache ist
gekennzeichnet durch Deformation sowohl der Standardsprache
als auch der vorliegenden Literatursprache[1]. Es muß hier noch
angemerkt werden, daß 'Literatursprache'

> "nicht im engen Sinn 'Sprache der Poesie' (Lyrik) gebraucht
> (wird), sondern im weiteren Sinn als Äquivalent des Ter-
> minus 'die Sprache der künstlerischen Literatur'" 2)

Demnach geht diese Theorie von der gesamten erfaßten (!)
Struktur einer Standardsprache aus, die folgendermaßen gekennzeichnet ist:

"Der Charakter der Mitteilungssprache ist durch die allgemeine Tendenz zu den standardförmigen Arten der Ausdruckswei-
se ... gekennzeichnet" (S.278). Diese "Automatisation" der
Ausdrucksmittel bedeutet gegenüber der Literatursprache eine
Restriktion sprachlicher Möglichkeiten. H.Henne (1972,51ff.)
illustriert das an einem Beispiel, demnach die Standardsprache des 18. Jahrhundert bei 'krank' drei semantische Merkmale,
die Literatursprache dagegen sowohl diese drei als auch zwei
zusätzliche Merkmale aufweist.

Eine Theorie wird jedoch nicht dadurch begründet, daß sie
ein pragmatisch (!) günstiges Verfahren ansetzt, nämlich vom
relativ leichter Erfaßbaren (Standardsprache) auf das weniger
'Regelmäßige' (Literatursprache) zu schließen. Eine Theorie
von Literatur- und Standardsprache muß vom Umfassenderen und
Allgemeineren ausgehen. Von daher gesehen ist Aberranz oder
Deformation kein theoretisch ansetzbares Distinktionsmittel.
Denn wenn Literatursprache tatsächlich dadurch hinreichend

---

1) Vgl. L.Dolezel (1965) S.278/279.
2) L.Dolezel (1965) S.291, Anm.1.

definiert ist, daß sie gegenüber der Standardsprache eine erweiterte Basis hat (sowohl syntaktisch als auch semantisch[1]),
dann ist nicht sie die Deformation des standardsprachlichen
Systems; man muß vielmehr - innerhalb dieser Art von Argumentation - von einem umgekehrten Verhältnis ausgehen: "Die Dichtung ist nicht etwa 'Abweichung' gegenüber einer anders gegebenen Sprache, eher ist die alltägliche Sprache eine solche
Abweichung gegenüber einer totalen Sprache"[2].

Die Definition von Literatursprache als aberrant ist unzureichend, denn

> "die linguistische Poetik kann immer nur bestimmte Erschei-
> nungen der Sprachperformanz registrieren, sie kann aber
> nicht den Nachweis erbringen, daß es sich dabei um eine
> spezifisch 'poetische' Sprachverwendung handelt" [3].

Aberranz ist also ein Mantel, der für die Literatursprache
viel zu weit ist[4].

Hinzu kommt noch, daß Literatursprache von der Standardsprache notwendig gar nicht abweichen muß, denn manche literarischen Richtungen bemühten sich ausdrücklich, jeden 'poeti-
schen Glanz' (d.i. Aberranz vom standardsprachlichen System)
zu vermeiden. Darüber hinaus zeigt die Diskussion um das, was
noch und was nicht mehr als Literatur anzusehen ist, deutlich
einen Bereich der Unschärfe.

Linguistisch gesehen ist demnach das Verhältnis Literatursprache : Standardsprache - und es gibt eines - noch keineswegs geklärt[5]. Die bisherigen Ansätze sind als theoretisch

---

1) Vgl. G.Wienold (1969) S.109.
2) E.Coseriu (1971) S.185, vgl. auch ebda.: "Man kommt zum
   Schluß, daß dichterische Sprache die volle Funktionalität
   der Sprache darstellt, daß also die Dichtung der Ort ...
   der funktionellen Vollkommenheit der Sprache ist".
3) J.Ihwe (1971) S.289.
4) Vgl. B.Allemann (1969) S.151.
5) Vgl. H.H.Glade (1968) S.225: "Der Irrtum im Fundament solcher Vorstellungen (= Aberranztheorie) ... läßt sich in
   Begriffen der linguistischen Theorie selbst formulieren:
   Er besteht in der Reduktion der in einer Nachricht verwen-
   deten extralinguistischen Codes auf Teilcodes im immanent
   linguistischen Sinn, was zugleich die Reduktion des Zei-
   chenbegriffs auf seinen phänomenalen Aspekt impliziert."

unzureichend fundiert anzusehen[1]. Daraus folgt, daß die euphorische Definition der Prager Schule: "Die sprachliche **Struktur** spiegelt in sich alle Merkmale der literarischen **Struktur** wider"[2], von der Linguistik aus gar nicht festgelegt **werden** kann. Es gilt vorläufig der Satz: "Das 'Poetische' ist ... linguistisch nicht nachweisbar"[3]. Und das bedeutet, daß das Verhältnis Sprache : Literatur eben nicht allein in der wissenschaftlichen Disziplin Linguistik gelöst werden kann.

Gegenüber der "Borniertheit der Linguisten"[4] muß festgestellt werden, daß die Sprache zwar gemeinsames Objekt beider Wissenschaften ist, jedoch in je spezifischer Weise. Hierbei sind 'Kurzschlüsse' nicht zulässig: man hat es mit "zwei verschiedenen Funktionsweisen von Sprache zu tun"[5].

## 2.2.2. Kooperation von literarischer und linguistischer Theorie

Um nun wieder zum Ausgangspunkt der Erörterung, Wienolds linguistischer Analyse des Romans, zurückzukommen, so zeigt sich, daß sein linguistisch theoretischer Ansatz unzulänglich ist. Damit wird nicht im mindesten die Möglichkeit einer linguistischen Analyse literarischer Kunstwerke geleugnet, im Gegenteil. Diese wird aber nur zum Erfolg führen, wenn sie mit einer literarischen Theorie kooperiert. Es ist methodisch unsauber, wenn vom Unbehagen[6] gegenüber solchen literarischen Theorien gesprochen wird - und zudem emotional -, dann aber einige Seiten weiter genau auf diese vorliegenden Theorien

---

1) Daß hier und da einige Versuche erfolgreich verlaufen sind, spricht in keiner Weise dagegen. Denn diese anzuführen würde die fortschrittsgläubige Vertreter einer "exakten Literaturwissenschaft" in die Gemeinschaft mit denen von ihnen scheel angesehenen 'geisteswissenschaftlichen Interpretatoren' bringen. Exakt kann doch nur bedeuten: theoretisch ausreichend fundiert und nicht: 'basierend auf quantifizierenden Methoden' - oder? Vgl. Leibfried (1970)S.182.
2) L.Dolezel (1965) S.281.
3) J.Ihwe (1971) S.289.
4) ebda. S.294.
5) H.Friedrich (1967) S.220.
6) G.Wienold (1969) S.110.

implizit zurückgegriffen wird und dem Typus 'Kriminalroman'
ohne Vorklärung oder fundierte Begründung die gewiß offenkundi-
gen literarischen - und nicht linguistischen - Konstituenten
'Personen', 'Handlung', 'Spannung'[1] zugesprochen werden. Hier
spätestens wird sichtbar, welche Anleihen linguistische Analy-
sen und ihre Theorien bei der Literaturtheorie auch uneinge-
standen machen und wie dadurch diese Theorien ihre Erklärungs-
mächtigkeit einbüßen.

Es ist deshalb notwendig zu klären, aus welchen Komponenten
Literatur sich konstituiert. Wenn auch die Sprache nicht die
alles umfassende Rolle spielt, in der sie vor allem Dolezel
sehen möchte (sprachliche Struktur = poetische Struktur)[2], so
wird ihr doch in den Literaturtheorien eine überragende Bedeutung zugesprochen. René Wellek und Austin Warren (1959,22):

> "Das Problem läßt sich am einfachsten lösen, wenn man sich
> die besondere Funktion, welche Sprache in der Literatur
> erfüllt, vor Augen hält. Sprache ist das Material der Li-
> teratur, in dem gleichen Sinne, wie Stein oder Bronze das
> Material der Skulptur, Farbe das der Bilder oder Töne es
> für die Musik sind."

Diese Bestimmung von Sprache im literarischen Kunstwerk bedeutet, daß es noch andere Komponenten geben muß, die das Ganze eines solchen ausmachen. Es würde zu weit führen, hier in
eine Diskussion darüber einzutreten und ist, wie sich noch
herausstellen wird, für unser Projekt der Inhaltsanalyse des
mittelhochdeutschen Tageliedes auch nicht notwendig. Es sei
hier nur auf die Ausführungen des Prager Jan Mukarovski verwiesen, die in ihrem Ansatz von Dolezel nicht genügend beachtet wurden. Mukarovski weist auf die evident kommunikative
Funktion der Poesie hin, in der "es ein 'Sujet' (Thema, Inhalt) gibt und in denen der Stoff auf den ersten Blick als
'mitteilende Bedeutung' des Werkes tätig zu sein scheint"[3].
Darüber hinaus gibt es aber auch die 'autonome' Bedeutung des
Kunstwerks, so daß dem Kunstwerk eine zweifache semiologische
Bedeutung zukommt. Der Wesensunterschied zu den bloß mittei-

---

1) G.Wienold (1969) S.121.
2) L.Dolezel (1965) S.281 (vgl. oben).
3) J.Murakovski (1970, verfaßt 1934) S.143.

lenden Zeichen besteht nun darin, daß die kommunikative Beziehung zwischen dem Kunstwerk und der bezeichneten Sache keine existenzielle Bedeutung hat[1].

H.H.Glade (1968, 226) sieht diese außersprachlichen Komponenten innerhalb mehrerer interferierender Codes, unter denen der sprachliche Code als der einzige immer präsent ist:

> "Ebenso ist das linguistisch unmittelbar wahrnehmbare
> Zeichen nur ein Typ unter mehreren nicht direkt wahrnehm-
> baren, für die es als Schlüssel fungiert."

Bei H.Friedrich (1967, 223) ist - vergleichbar mit diesen Codes - die Rede von Transformationen, die in der und durch die Literatur ausgeführt werden. Damit entsteht ein ganz spezifisches Verhältnis von Literatur zu Außenwelt: "die literarische Transformation eines Vorkommnisses, einer gesellschaftlichen Lage, ja einer vorhandenen literarischen Überlieferung ist schon etwas anderes als das Transformierte selber". Literatur[2], so könnte man vorsichtig umschreiben, steht mittels ihres Mediums Sprache in einem besonderen Verhältnis zur (Außen-) Welt: reale und fiktive Sachverhalte werden dargestellt. Innerhalb der Literatur gibt es ganz bestimmte Verfahrensweisen der Darstellung: vom Zentrum S p r a c h e ausgehend werden je nach dem spezielle, zentrifugale Kräfte wirksam, die nach ganz verschiedenen Richtungen gehen können. Solche Richtungen sind zum Beispiel:

(1) Formalistische, die von der Beachtung minimaler Takt/
Rhythmus-Gesetze bis zu einem Maximum formalistischer
Gestaltungskraft reichen kann (z.B. spätmittelalterli-
che manirierte Poesie) - unter Vernachlässigung inhalt-
licher Momente;

(2) Stofflich orientierte, die unter Vernachlässigung von
'künstlerischer' Gestaltung (hauptsächlich formaler
Mittel) ganz die Darstellung von Sachverhalten dominie-
ren lassen (Kriminalroman, historischer Roman);

---

1) J.Murakovski (1970) S.143/144.
2) Es mutet doch recht eigentümlich an, daß in zwei literarischen Lexika (Reallexikon, 1965 und Kleines lit. Lexikon
1966) nicht erklärt wird, wie sich Literatur konstituiert!

(3) Solche, die bestimmten literarischen Formgesetzen fol-
    gen, diese entweder exakt zu erfüllen trachten oder
    mit neuen Varianten bereichern (spezielle Gattungen:
    z.B. Sonett).

Diese Aufzählung beansprucht weder Vollständigkeit, noch
kann sie allen Verknüpfungen von Literatur nachgehen (z.B.
kann eine Gattung (3) einen Stoff (2) mit überladenen forma-
listischen Mitteln (1) darstellen), sie soll nur zeigen, daß
zwar alles durch die Sprache vermittelt wird, daß diese aber
als Medium zuweilen zum reinen Selbstzweck geraten kann und
daß aber noch ganz bestimmte andere 'Codes' (Glade) an der Gestaltung von Literatur nennenswerten Anteil haben. Sieht man
einmal von den immer wirksamen gesellschaftlichen Bedingungen
der Literatur ab, so sind solche 'Codes' eben z.B. die in (1),
(2), (3) genannten Möglichkeiten. Es wäre unmöglich, eine Ballade als Ballade zu bezeichnen, wenn nicht etwas ganz spezi-
fisch 'Balladenhaftes' genannt werden könnte, und dieses Spezifische ist nicht in erster Linie rein sprachlich zu fassen.
Auf einem anderen Blatt steht dagegen, daß dieses Balladenhaf-
te schwer zu beschreiben ist und ein Konsens der Wissenschaft
fast unerreichbar erscheint: dennoch hat es bis jetzt noch
keiner ernsthaft geleugnet. Literatur erstreckt sich also innerhalb zweier größerer Dimensionen: in sich (ihren Gestal-
tungsmöglichkeiten) und in der Außenwelt, welch letztere sie
aufnimmt (Transformation) und dann wieder als Transformation
mit dieser Außenwelt relationiert.

Einer "linguistischen Strukturanalyse" literarischer Kunstwerke müßte eine Erörterung dieser Zusammenhänge vorausgehen,
denn die Gleichung linguistische Struktur = poetische Struktur
läßt sich nicht aufrecht erhalten[1].

## 2.2.3. Erläuterung des Gattungsbegriffes

Die Diskussion linguistischer Analysemodelle, speziell des-
jenigen von G.Wienold, ergab demnach, daß es verfehlt wäre,

1) Vgl. J.Hermand (1969) S.157: "Inhalt und Form sind hier so
   weit auseinandergetreten, daß der absoluten mathematischen

diese Verfahren, die zudem auch nur ansatzweise vorgetragen
werden, zu einer Analyse des mittelhochdeutschen Tageliedes
auszubauen. Dennoch wird u.a. ein Phänomen der Literatur in
den Vordergrund gerückt, das in den literarischen Theorien
einen einigermaßen gesicherten Platz einnimmt: Literatur orga-
nisiert und manifestiert sich nicht so sehr in sprachlichen
als in spezifischen literarischen Formen. Nun ist die termino-
logische Kennzeichnung dieser Formen einigermaßen umstritten,
und es vergeht kein Jahr, in dem nicht neue Vorschläge für die
Kategorisierung gemacht werden. Einmal werden Epik, Lyrik,
Dramatik als Gattungen bezeichnet, ein andermal sind es die
einzelnen Sparten dieser Großformen, die mit 'Gattung' bezeichnet werden. Wir entscheiden uns für letzteres. Wir verstehen unter 'Gattungen' literarische Kunstformen, die sich
durch eine spezifische Summierung einzelner literarischer Merkmale auszeichnen. Diese Merkmale können den verschiedensten
literarischen Kriterien entstammen, z.B. die mehr formal ausgerichtete Kennzeichnung 'Sonett', die mehr inhaltlich, aber
nach der Haltung des lyrischen 'Ich's' ausgerichtete Ode. Ent-
scheidend dabei ist die "paradigmatische Determinierung"[1],die
von der Gattung ausgeht und die selbstverständlich einen nach
mehreren Seiten hin variablen Spielraum und auch eine Über-
gangzone hat. Letztere wäre gegeben, wenn dominante Merkmale
aus der Summierung z.T. noch nachweisbar, z.T. aber durch andere ersetzt wären[2].

Demnach ist das Tagelied eine solche Gattung und seine Erforschung versteht sich u.a. auch als Beitrag zur Literatur-
historie, und damit auch zur "Zeitgeschichtlichkeit", wie sie
Jost Hermand (1970,89) propagiert. Bevor man jedoch "das dia-
lektische Wechselspiel von Zeitgeist und Genre-Struktur"(ebda.)
erforschen kann, ist es notwendig, von der Literaturwissenschaft her letztere genauestens zu bestimmen. Womit wir denn
beim Ausgangspunkt, der Untersuchung des Materials wären,
welche wir mit Inhaltsanalyse bezeichnen.

Objektivität eine weltanschauliche Unverbindlichkeit entspricht, die sich völlig im Bereich leerer Abstraktionen bewegt!"
1) H.Friedrich (1970) S.225.
2) Vgl. E.Leibfried (1970) S.284.

## 2.3. Erläuterung des Verfahrens der Inhaltsanalyse

### 2.3.1. Voraussetzung und Eingrenzung

Der Bereich der theoretischen Fundierung einer Analyse ist
einigermaßen klar umrissen: Das Verfahren muß auf einer Kom-
bination von linguistischen und literaturwissenschaftlichen
Prämissen aufbauen. Wir bezeichnen dieses Verfahren der Mate-
rialanalyse mit dem Terminus "Inhaltsanalyse" und werden im
folgenden die allgemeinen Bedingungen (literarischer Text) und
die spezifischen (Tagelied) erläutern. Einschränkend muß festgestellt werden, daß dieses Verfahren nicht die literaturwissenschaftliche Gesamtinterpretation ersetzen soll - wozu wir
literaturhistorische, literatursoziologische etc. Erörterungen
rechnen -, sondern daß dieses Verfahren auf der Ebene angesiedelt ist, die R.Grimminger mit 'Positivismus' bezeichnet und
unter welchem Begriff eine wissenschaftliche Haltung verstan-
den wird, deren Erkenntnisziel eben die empirische Feststellung bleibt, die aber nicht blind für die weiteren Probleme
sein sollte:

> "Solch konservativer Wille zur Materialtreue, ohne den
> Wissenschaft natürlich kaum denkbar ist, kann jedoch
> nicht zum Zwecke seiner selbst erhoben werden" 1).

Diese empirischen Methoden der Literaturwissenschaft haben
die Aufgabe, "Theorien zu bestätigen oder zu widerlegen, sie
sind Wegweiser für Deutungen" (ebda.).

Die Inhaltsanalyse geht zunächst nicht vom sprachlichen
Befund aus, sondern davon, daß sich in diesem Medium ganz bestimmte literarische 'Codes' manifestieren. Diese Inhaltsanalyse soll nun einen dieser Codes in Umfang und Wirkung darstellen, wobei andere Ziele einer Inhaltsanalyse ebenso denkbar wären und weiter oben auch angedeutet wurden. Dieser Code
"Gattung" hat festgelegte Merkmale, die in den Verwirklichun-
gen von Gattungen signifikant auftreten müssen (paradigmati-

---

1) R.Grimminger (1969) S.371/372; vgl. K.R.Popper (1966).

sche Determinierung), ansonsten der Begriff "Gattung" hinfäl-
lig ist. Die signifikanten Merkmale einer Gattung können in
den verschiedensten Bereichen von literarischen Ausdrucks-
und Darstellungsmöglichkeiten angesiedelt sein, wobei natürlich Gemeinsamkeiten mit anderen Gattungen vorhanden sein können, mit Ausnahme eines spezifischen oder charakteristischen
Bereichs.

### 2.3.2. Bestimmung der Komponenten des literarischen Textes und die Kennzeichnung der notwendigen Vorgehensweise zu dieser Bestimmung

Wir fassen unsere Erörterung zusammen und bestimmen einen
literarischen Text (D) folgendermaßen: die Realisation von
(D) besteht aus literarischen Kategorien (K) und sprachlichen
Zeichen (M); (D) stellt ein "Entscheidungsresultat"[1] einer
Auswahl aus diesen dar; Kategorien und Zeichen sind unendlich,
da die poetische Kompetenz immer in der Lage ist, neue zu
bilden. Alle literarischen Texte können demnach mit der Formel (1) gekennzeichnet werden:

(1)      D (K / M)

Innerhalb der Menge von D gibt es die Teilmenge DG, deren
Texte ganz bestimmte Bildungsgesetze (vgl. exemplarische De-
terminanten) aufweisen: die Gattungen. Ein Text der Teilmenge
DG zeichnet sich durch einen konstanten Kern von bestimmten
K a t e g o r i e n  (K') und frei hinzutretenden Kategorien
(K) aus. Setzen wir folgende Kategorien als gegeben voraus:

A = Inhalt

B = Reimschema

C = Strophik

D = Versmaß

und nehmen B, C und D als Konstanten, so erhalten wir

(2)      $DG_1$ (A; B', C', D' ...../M)[2].

---

1) S.J.Schmidt (1971) S.16.      2) Punkte deuten an, daß die

In $DG_1$ sind beispielsweise enthalten: das Sonett, der Leich, das Heldenepos (Nibelungenlied), nicht dagegen der Bildungsroman, die Ballade oder das Tagelied.

$DG_1$ reicht offensichtlich nicht zur Beschreibung der Gattung Sonett aus. Die Kategorie C umfaßt alle Strophenformen, das Sonett realisiert aber nur einige wenige: zwei Quartette und zwei Terzette, drei Quartette und ein Duett etc. Das bedeutet, daß C differenziert werden muß. Demnach besteht C aus $C_1$, $C_2$ .... $C_n$; diese werden K o n s t i t u e n t e n genannt. Gegeben ist:

$C_1$ = zwei Quartette und zwei Terzette

$C_2$ = drei Quartette und ein Duett

.

.

.

Dann ist die Formel (3) die (teilweise) Beschreibung des Sonetts (SO):

(3)     $DG(SO) (A; B', C_{1-2}, D' .../M)$ .

Differenzieren wir andererseits die Kategorie A (Inhalt) in die Konstituenten:

$A_1$ = Personen

$A_2$ = Anzeichen des Morgens

$A_3$ = Wecken/Aufwachen

$A_4$ = Erotik

$A_5$ = Abschied

so ergibt Formel (4) eine (teilweise) Beschreibung des Tageliedes (TL).

(4)     $DG(TL) (A_{1-5}...; B, C, D .../M)$

Hierbei sind B, C, D notwendige, aber nicht hinreichende Bestimmungen. Die Formel (4) stellt eine vorläufige Abstraktion

---

Formel nicht vollständig ist.

der Forschungsergebnisse dar[1]. Es ist nunmehr möglich, in
diese Formel epochale Varianten einzufügen, die aus den einzelnen Realisationen des Zeitraumes gewonnen werden - in unserem Falle also des 13. Jahrhunderts in der Begrenzung auf
die Texte in mittelhochdeutscher Sprache. Dann kann die Abstraktion der epochalen Realisation einerseits synchron mit
anderen literarischen Texten kontrastiert werden, um so Gemeinsamkeiten der Epoche zu bestimmen, andererseits kann diachron die endgültige Bestimmung der Gattung Tagelied herausgefunden werden. Aufgabe dieser Untersuchung kann aber nur
die Bestimmung der epochalen Realisation der Gattung Tagelied
(s.o.) und damit Grundlegung für die endgültige Definition
sein. Es muß dabei immer beachtet werden, daß das ganze Verfahren einerseits von schon vorhandenen Erkenntnissen ausgeht
und diese abstrahiert, andererseits diese Erkenntnisse an den
Realisationen überprüfen will, um dann die Erkenntnisse zu
korrigieren und modifizieren.

Deshalb muß nun ein Weg gefunden werden, wie aus der end-
lichen Menge der sprachlichen Zeichen, die die Realisation
bildet, die Konstituenten der Kategorie A (= Inhalt) abgeleitet werden können.

Zuvor ist aber M zu spezifizieren, wonach M aus den sprachlichen Zeichen $S_1$, $S_2$ ... $S_n$ besteht.

(5)    DG(TL)   $(A_{1-4}...; B, C, D .../S_1, S_2 ... S_n)$

Nun ist offensichtlich, daß die Kategorie A in enger Beziehung zu der Menge $S_1$ ... $S_n$ steht: die Konstituenten sind in
$S_1$, $S_2$ ... $S_n$ realisiert. Die Schwierigkeit besteht darin,die
Menge der sprachlichen Zeichen so zu segmentieren, daß die
Konstituenten erkennbar werden. Ausgangspunkt der Analyse ist
also eine linear geordnete Menge sprachlicher Zeichen und die
aus Vorarbeiten und eigener Anschauung gewonnenen, vorläufigen Konstituenten, wobei zunächst keine direkte Verbindung
zwischen beiden Teilen in Form von Identitäten besteht. D.h.
diese Identität - ein Postulat der Theorie der Gattungen -
ergibt sich erst aufgrund von Annäherungsverfahren, die aller-

1) Vgl. vor allem Hatto (1965).

dings einen hohen Grad von Wahrscheinlichkeit besitzen.

Die Menge der sprachlichen Zeichen ist durch die Bestimmung von S determiniert und insofern nur begrenzt variabel.
Konkret bedeutet das, daß eine gewisse Menge von Liedern analysiert werden muß und daß die hieraus gewonnenen Konstituenten dann an anderen Liedern geprüft werden könnten, wobei die
Konstituenten dann verifiziert, falsifiziert und modifiziert
werden. Diese gewisse Menge von Liedern nennen wir  C o r -
p u s. Die Bestimmung des Corpus geschieht aufgrund der schon
geleisteten Vorarbeit und eigener Anschauung, ist allerdings
als nur vorläufige Arbeitsgröße anzusehen und jederzeit modi-
fizierbar, d.h. Überprüfung ist immer möglich.

Die sprachlichen Zeichen der einzelnen Lieder dieses Corpus werden nun mit Hilfe des vorhandenen "Repertoires"[1], das
in diesem Fall aus den angesetzten Konstituenten besteht,
s e g m e n t i e r t. Diese Segmentierung ist der erste
Schritt der Analyse und steht in Verbindung mit linguistischen Kategorien. So fallen vorab u.a. die Wortarten Artikel
und Präposition als Segmente aus, da sie in bezug auf die Konstituenten des Tageliedes keinen Aussagewert haben. Vielmehr
müssen die Segmente so geartet sein, daß sie im Hinblick auf
die Gattungsdetermination eine  F u n k t i o n  ausüben. Das
sprachliche Zeichen "nahe" hat demnach keinen Funktionswert,
während "balde" oder "snel" im Hinblick auf die Konstituente
'Gefahr' eine Funktion ausübt.

Das Tagelied ist hinsichtlich der Konstituenten festgelegt,
nicht jedoch im Hinblick auf die Modalitäten ihrer sprachlichen Realisation. Daraus folgt, daß verschiedene  S e g -
m e n t e  den gleichen Inhalt haben können, z.B. bedeuten
mhd. "smucken" und "umbevangen" jeweils nhd. umarmen. Damit
können die Segmente nicht unmittelbar in Konstituenten über-
führt werden, sondern es bedarf einer Zwischenstufe: die
S e g m e n t e  "smucken" und "umbevangen" sind Realisationen des  E l e m e n t e s  UMARMEN. Andererseits ist das

---

1) S.J.Schmidt (1971) S.16: "das Repertoire ist ... kein Ka-
   non, sondern ein methodisches Vehikel der Systematisie-
   rung von Textkonstituenten ..."

Element MINNESPIL dem erstgenannten verwandt: zusammen mit anderen Elementen könnten sie die K o n s t i t u e n t e Erotik bilden.

Damit ist das Verfahren beschrieben, wie man von sprachlichen Zeichen zu Konstituenten gelangen kann. Wir nennen dieses Verfahren I n h a l t s a n a l y s e .

Die Inhaltsanalyse ist ein jederzeit überprüfbares Verfahren, mit dem die Realisationen von literarischen Gattungen untersucht und die Kategorien und ihre Konstituenten erneut und genauer bestimmt werden können. Ohne Zweifel besteht auch hier ein individueller, subjektiver Ermessensspielraum, der aber durch die Offenheit des Systems immer korrigierbar ist, falls die analysierende Kompetenz Lücken aufweist.

Die Bestimmung der Konstituenten kann nicht von der Kompetenz entschieden werden, sondern muß mengen-relational erfolgen: die absolute Anzahl der Elemente und ihr relativer Anteil an allen Elementen des Corpus werden in Beziehung gesetzt. Dies wird aufgrund der Verteilung vorgenommen, weshalb diese Inhaltsanalyse d i s t r i b u t i o n a l ist.


## 2.4. B e i s p i e l   e i n e r   S e g m e n t i e - r u n g   u n d   E l e m e n t e n g e w i n n u n g

Zum Abschluß werden wir nun eine Strophe eines mhd. Tageliedes analysieren und dann noch einige Probleme pragmatischer Art klären, die für die Durchführung der Analyse wichtig sind. Hierzu ist es nötig, die vorliegenden und vorläufigen Konstituenten zu benennen, so wie sie sich aus den Vorarbeiten und der eigenen Anschauung als Grundlage der Kompetenz ergeben:

$A_1$ = Ritter

$A_2$ = Frau

$A_3$ = Wächter

$A_{10}$ = Anzeichen des Morgens

$A_{11}$ = Wecken / Aufwachen

$A_{12}$ = Erotik

$A_{13}$ = Trauer

$A_{14}$ = Gefahr

$A_{15}$ = Abschied

Als Erläuterungsbeispiel nehmen wir Bruno von Hornberg (KLD 3, III, 2. Strophe).

"Der rede ein schoene wîp erschrac.
ein umbevâhen tet sî ir gesellen dô.
sie sprach "owê, ich waen der tac
uns aber wil nâhen; des bin ich sendez wîp unfrô".
diu reine süeze wachte alsô
daz grâwe lieht si beide an sâhen:
sie forchten melde und ouch den drô."

Da es für die literaturwissenschaftliche Fragestellung auch auf die Personen und das, was sie tun, ankommt - sie also von den Konstituenten $A_{10}$ ff. abgesetzt werden sollen -, wählen wir eine Schreibweise, die eine Beantwortung der Frage erleichtert, in welchem Verhältnis die Figuren untereinander stehen und welche Konstituenten der nach $A_{10}$ folgenden ihnen zuzuordnen sind.

$A_1$ wird mit R, $A_2$ mit F und $A_3$ mit W abgekürzt, die übrigen Siglen werden anhand des Textes erläutert.

Vers 1

Mögliche Segmente

rede

erschrac

F

Da nun aber in Strophe 1 der Wächter gesprochen hat, könnte man ansetzen:

W    RE (rede)

F    ES (erschrickt)

Allerdings käme dann das oben geforderte Verhältnis der Figuren nicht zum Ausdruck, weshalb wir folgende Schreibweise wählen:

(1)    (W)    RE : F    (= Wächter redet zur Frau)

(2)    F    ES . W    (Frau erschrickt gegen Wächter)

Erläuterung: ( ) um W bedeutet für die Auszählung der Erwähnungen von W, daß hier zwar auf ihn Bezug genommen wird, er aber nicht genannt wird; Punkte zeigen die Reihenfolge der Aktivitäten an (" : F" = F ist Objekt; " . W" = W ist Ursache für die Aktivität von F).

Für die interne Kennzeichnung wird in jeder Segmentzeile noch die Fundstelle in Form einer Dichtersigle (Bruno von Hornberg = BvH) und der Strophenzahl angegeben; hinzu kommt dann eine Kennzeichnung des Zeitraums, in dem das Lied abgefaßt worden ist - die Kriterien hierfür werden weiter unten erläutert, in diesem Fall ist es der Zeitraum B. Eine Segmentzeile sieht dann wie folgt aus:

(1)    RE : F  BvH  B - 2

Damit können die Segmente, Elemente und Konstituenten genauestens überprüft werden, denn auch bei der Auflistung werden die Lokalisationen immer beigegeben.

<u>Vers 2</u> (wir lassen den 2. Teil der Segmentzeile weg):
(3)       F  UB : R

<u>Vers 3 und 4</u>:
(4)       F  SP
(5)       F  KL
(6)       F  UF

<u>Vers 5</u>:
(8)       F  WK : R

<u>Vers 6</u>:
F und R treten hier gemeinsam handelnd auf, weshalb als $A_4$ die Konstituente P (= F+R) eingeführt wird. Eine weitere Schwierigkeit in der Darstellung besteht darin, daß "sehen" und "graues Licht" getrennt werden müssen, wobei "sehen" seine nähere Kennzeichnung erhalten soll.
(9)      P  SE  (LH)
(10)     P  LHg  ('grawes' lieht)

<u>Vers 7</u>:
(11)     P  FU
(12)     P  ME
(13)     P  DR

Damit ist die Segmentierung abgeschlossen, und es können nun die Elemente gebildet werden:

1. (1) und (4) haben denselben Inhalt: ER wird gelöscht und

durch SP ersetzt;

2. (5) und (7) beziehen sich beide auf den Komplex 'Leid'
(Sigle UG), allerdings in den Varianten w (owê) und f (unfrô).

3. Bei (12) und (13) zeigt der Vergleich mit anderen Liedern,
daß hier der Komplex "merker" angesprochen ist und beide nur
Varianten dieses Elementes sind, also zusammengezogen werden
können: MRmd. Das Verfahren zur Bildung der jeweiligen Konstituenten kann nur im Anschluß an die Liste und die relationale
Darstellung der Elemente erläutert werden, da diese von den
tatsächlich gefundenen Elementen abhängen. Das allgemeine Verhältnis wurde ja schon erörtert.


## 2.5. Formelhaftigkeit und ihre Einwirkung auf den Inhalt

Zum Abschluß muß noch ein Problem bedacht werden, das den
Stellenwert der Inhalte betrifft, die aufgrund lyrischer Form-
bedingungen zustande kamen. Denn ein Refrain als Formelement
bedingt die Wiederholung eines Inhalts und damit seine Vermeh-
rung, und der Reim fordert ganz bestimmte Laute, die wiederum
nur in bestimmten Lexemen vorkommen, d.h. Formalien können Inhalte festlegen. Damit bestünde die Möglichkeit, daß die Zah-
lenrelation ein Verhältnis angibt, das nicht aufgrund der Absicht zu inhaltlichen Aussagen zustande gekommen ist, sondern
nur aufgrund formaler Bedingungen. Diese Argumentation geht
davon aus, daß der Autor an diesen Stellen etwas anderes hätte
ausdrücken können, wenn ihn nicht Reim bzw. Refrain gezwungen
hätten, bestimmten Formgesetzen Genüge zu tun. Das aber wäre
rein spekulativ, denn es setzt die Wahlmöglichkeit des Autors
voraus. Diese aber ist schon weitgehend eingeschränkt durch
die allgemeine lyrische und zudem noch durch spezifische De-
termination der Gattung. Im übrigen ist es für die Analyse
der Gattungskonstituenten nicht erheblich, was ein Autor hätte
anders machen können: es kann nur das Vorliegende analysiert
werden[1].

---

1) vgl. "Entscheidungsresultat" bei S.J.Schmidt(1971) S.16.

3    M a t e r i a l d a r s t e l l u n g

## 3.1. Das Corpus

In Kapitel 2 wurde erläutert, w i e analysiert werden
soll, allerdings noch nicht genau  w a s. Dieses Objekt wurde
' C o r p u s '  genannt und soll im folgenden näher einge-
grenzt werden. Für die Aufnahme in das Corpus sind zunächst
einmal alle Lieder prädestiniert, die die Konstituenten aus
Kapitel 2 in irgendeiner Weise realisieren.

Auch an dieser Stelle muß auf den Einwand eingegangen werden, daß hier Festlegungen und Definitionen getroffen werden,
die ja eigentlich erst Ergebnis der Untersuchung sein sollten.
Es ist dies eine Frage der Situation des Materials und des an-
wendbaren Verfahrens. Grundsätzlich ist natürlich eine Methode
zu fordern, die aus dem vorhandenen Gesamtmaterial (also alle
Lieder dieser Epoche) ein Corpus auswählt und an diesem eine
Inhaltsanalyse durchführt. Als Ergebnis müßte hierbei eine
Gruppe von Liedern erkennbar sein, die signifikante, gemeinsame Abweichungen aufweisen. Dieses Verfahren ist deshalb nicht
anwendbar, weil der Umfang des Materials den Bedingungen eines
statistisch relevanten Querschnitts nicht genügt.

Vielmehr müssen für ein Corpus bei dieser Überlieferungsla-
ge alle Lieder eines hypothetisch anzusetzenden tageliedähnli-
chen Charakters getestet werden. Denn eine signifikante Menge
sollte von einer zufälligen unterschieden werden können. Die
Bestimmung des Corpus wird also einerseits von den objektiven
Bedingungen einer spärlichen Überlieferung diktiert, wird aber
andererseits durch die bereits erarbeiteten Kriterien, die den
derzeitigen Stand der Forschung zum Tagelied in der Weltliteratur (Hatto, 1965) widerspiegeln, und durch die Transparenz
des Verfahrens gerechtfertigt. Die Gefahr, durch die Bestimmung des Corpus Vorentscheidungen über die zu ermittelnden
Konstituenten zu treffen, wird außerdem durch die geringe Ma-
terialmenge reduziert: die Untersuchung erhebt ja nicht den
Anspruch,  a l l e  Tagelieder des Mittelhochdeutschen zu untersuchen - also letztlich das Tagelied des Mittelhochdeutschen überhaupt herauszuarbeiten -, sondern nur die, die auf

uns gekommen sind. Sicherlich kann man aufgrund des tatsächlich vorhandenen Materials auf das literarische Gesamt dieser
Epoche schließen, aber dies ist Sache einer Vermutung. Daß man
sich diesem Gesamt nähert, wird freilich um so wahrscheinli-
cher, je genauer das Material analysiert worden ist.

Ferner sei darauf hingewiesen, daß das Corpus eine variab-
le Größe ist (vgl. 2.3.) und daß die Inhaltsanalyse nach allen
Seiten hin (also allen anderen literarischen Erscheinungen)
offen ist. Das Problem einer Vorbestimmung des Ergebnisses
durch subjektive Auswahl wird also aus folgenden Gründen eli-
miniert oder doch wenigstens relativiert:

   (1) Überlieferung (wenig Zeugnisse)

   (2) Vorarbeiten und deren Ergebnisse
      (Immanenz des Tageliedbegriffs)

   (3) Vorläufigkeit des Corpus

   (4) Offenheit der Inhaltsanalyse
      (Anschlußmöglichkeiten für andere Untersuchungen
      mit der Möglichkeit der Revision)

   (5) Kompetenz des Bearbeiters.


## 3.1.1. Bestandsaufnahme

Aufgrund der nun bekannten Voraussetzungen ergab eine Durchsicht der lyrischen Texte des Mittelhochdeutschen eine Anzahl
von 56 Liedern, in denen Konstituenten des Tageliedes realisiert werden.

In der folgenden Liste werden alle Lieder aufgeführt, ver-
sehen mit einer Angabe von Autor und gegebenenfalls der Lied-
nummer, sowie einer Kennzeichnung hinsichtlich Übereinstimmung bzw. Abweichung von den gegebenen Konstituenten. Ferner
wird die Ausgabe angegeben, nach der der Autor zitiert wird.

L I S T E   1

"VERZEICHNIS DER TAGELIEDER UND TAGELIEDÄHNLICHER LIEDER"

LEGENDE:

+        = Nur ein Tagelied dieses Autors überliefert; Ziffer
           bezeichnet Werkziffer nach der jeweiligen Ausgabe

n        = Keine nennenswerte Abweichung von der vorläufigen
           Definition

TL       = Tagelied

frgm.    = Nur fragmentarisch überliefert.

ES       = E.Scheunemann, Texte zur Geschichte des deutschen
           Tageliedes. Erg. u. hrsg. v. F.Ranke. 2.Aufl.,
           Bern. 1964 (= Altdeutsche Übungstexte Bd.6).

HS       = A.Hilka und O.Schumann, Carmina Burana. Bd. I,2
           Heidelberg, 1941.

KLD      = C.v.Kraus, Deutsche Liederdichter des 13. Jahrhun-
           derts. Bd.1. Text. Tübingen 1954.

KW       = E.Schröder, Kleinere Dichtungen Konrads von Würz-
           burg III. 2.Aufl., Berlin 1959.

MF       = C.v.Kraus, Minnesangs Frühling. 33.Aufl., Stuttgart
           1962.

MS       = F.v.d.Hagen, Minnesinger. Leipzig 1838, Bd.3.

PS       = Ph.Strauch, Der Marner. Straßburg 1876. Reprogr.
           und erg. Nachdruck bearbeitet v. H.Brackert.
           Berlin 1965.

SM       = K.Bartsch, Schweizer Minnesinger. Frauenfeld 1886.

WV       = Die Gedichte Walthers von der Vogelweide. Hrsg.v.
           K.Lachmann. Aufgrund der 10., von C.v.Kraus bearb.
           Ausg., neu hrsgg. von H.Kuhn. Berlin 1954.

Die Zahlen hinter den Ausgabensiglen geben je nachdem Seiten
oder Nummern (der Autoren) an.

LISTE 1.

| Lfde. Nr. | Nr.des Autors | Name des Dichters | TL. | Art des TL. | Ausgabe | |
|---|---|---|---|---|---|---|
| 1 | 1 | Bruno von Hornberg | + | n | KLD | 3,3 |
| 2 | 2 | Dietmar von Aist | + | n | MF | 39,18 |
| 3 | 3 | Gunther v.d.Vorste | + | balladesk | KLD | 17,5 |
| 4 | 4 | Heinrich v.Frauenberg | + | n | SM | 13,1 |
| 5 | 5 | Heinrich Frauenlob | + | n | ES | 23 |
| 6 | 6 | Heinrich v.Morungen | + | TL-wechsel | MF | 143,23 |
| 7 | 7 | Heinrich Teschler | + | n | SM | 8,7 |
| 8 | 8 | Markgraf v.Hohenburg | + | n | KLD | 25,5 |
| 9 | 9 | Jakob von Warte | + | n | SM | 22,6 |
| 10 | 10 | Johannes Hadlaub | 14 | Wächtermonolog | SM | 27,14 |
| 11 | | | 33 | n | SM | 27,33 |
| 12 | | | 34 | n | SM | 27,34 |
| 13 | | | 50 | Wächtermomolog | SM | 27,50 |
| 14 | | | 51 | Serena(bis morgens) | SM | 27,51 |
| 15 | 11 | Konrad v.Würzburg | 14 | n | KW | 14 |
| 16 | | | 15 | n | KW | 15 |
| 17 | 12 | Kristan v.Hamle | + | n | KLD | 30,6 |
| 18 | 13 | Luithold v.Savene | + | frgm. | KLD | 35,4 |
| 19 | 14 | Burggraf v.Lüenz | 1 | Serena+TL +Kreuzlied | KLD | 36,1 |
| 20 | | | 2 | n | KLD | 36,2 |
| 21 | 15 | Der Marner | 2 | n | PS | 2 |
| 22 | | | 3 | Serena+TL | PS | 3 |
| 23 | 16 | carm. bur. | + | frgm. | HS | 183a |
| 24 | 17 | Namenlos a40-43 | + | n | KLD | 38,a40 |
| 25 | 18 | Namenlos 38a | + | n | KLD | 38,38a |
| 26 | 19 | Namenlos 427a (HM) | + | n | MS | 427a |
| 27 | 20 | Otto v.Botenlauben | 3 | n | KLD | 41,3 |
| 28 | | | 9+4 | Serena | KLD | 41,9+4 |
| 29 | | | 13 | n | KLD | 41,13 |
| 30 | | | 14 | Serena | KLD | 41,14 |

LISTE 1.

| Lfde. Nr. | Nr. des Autors | Name des Dichters | TL. | Art des TL. | | Ausgabe |
|---|---|---|---|---|---|---|
| 31 | 21 | Rubin | + | n | KLD | 47,20 |
| 32 | 22 | Steinmar | 5 | Reflexion auf Wächter | SM | 15,5 |
| 33 | | | 8 | Parodie(?) | SM | 15,8 |
| 34 | 23 | Ulrich v.Lichten-stein | 36 | Serena+TL | KLD | 58,36 |
| 35 | | | 40 | Zofe weckt/ Ritter bleibt | KLD | 58,40 |
| 36 | 24 | Ulrich v.Singenberg | 9 | n | SM | 2,9 |
| 37 | | | 14 | n | | 2,14 |
| 38 | 25 | Ulrich v.Winter-stetten | 7 | n | KLD | 59,7 |
| 39 | | | 13 | n | KLD | 59,13 |
| 40 | | | 27 | n | KLD | 59,27 |
| 41 | | | 28 | n | KLD | 59,28 |
| 42 | | | 29 | n | KLD | 59,29 |
| 43 | 26 | Walther v.Breisach | + | n | KLD | 63,2 |
| 44 | 27 | Walther v.d.Vogel-weide | + | n | WV | 88,21 |
| 45 | 28 | König Wenzel v. Böhmen | + | n | KLD | 65,3 |
| 46 | 29 | Winli | + | frgm.n | SM | 9,8 |
| 47 | 30 | Wizlaw von Rügen | + | n | MS | 81b |
| 48 | 31 | Der von Wissenlo | 1 | n | KLD | 68,1 |
| 49 | | | 2 | n | KLD | 68,2 |
| 50 | | | 3 | n | KLD | 68,3 |
| 51 | | | 4 | n | KLD | 68,4 |
| 52 | 32 | Wolfram v.Eschenbach | 1 | n | KLD | 69,1 |
| 53 | | | 2 | n | KLD | 69,2 |
| 54 | | | 4 | frouwe = Ehefrau | KLD | 69,4 |
| 55 | | | 5 | n | KLD | 69,5 |
| 56 | | | 7 | n | KLD | 69,7 |

Es werden nun die Lieder besprochen, die nicht n verzeichnen. Hierbei wird eine Entscheidung hinsichtlich der Aufnahme
in das Corpus getroffen.

(1) Gunther von dem Vorste (KLD 17,5)
Das Lied besteht aus 23 Strophen mit Refrain, während ein
Großteil der Tagelieder drei, höchstens aber sieben Strophen
aufweist. Inhaltlich weicht dieses Lied durch den ausgeweite-
ten Liebesdialog ab, durch Anreden eines Publikums, durch Ein-
bezug der Vorgeschichte etc., so daß dieses Lied für das Corpus nicht in Frage kommt[1].

(2) Heinrich von Morungen (MF 143,22)
Dieses Lied ist umstritten in seiner Strophenfolge und in seiner Aussage[2]. Es wird mit dem Terminus 'Tagelied-wechsel' bezeichnet, um anzuzeigen, daß die Definition des Tageliedes auf
dieses Gedicht nicht ohne weiteres anwendbar ist. Inhaltlich
scheint es sich um jeweils zwei 'Erinnerungsstrophen' und zwei
'Sehnsuchtsstrophen' zu handeln. Angesichts dieser Unklarheit
wird dieses Lied nicht in das Corpus aufgenommen.

(3) Johannes Hadlaub Nrn. 14,50 und 51.
Nr.14 und 50 beschreiben, allerdings nur aus der Sicht des
Wächters, das morgendliche Geschehen und fallen damit unter
die Definition. Nr.51 stellt das dem Abschied am Morgen vor-
ausgehende Treffen am Abend dar und nimmt nur in der letzten
Zeile auf das Geschehen am Morgen Bezug: "sô der wahter tages
giht". Damit gehört Nr.51 der Gattung  S e r e n a  an und
wird nicht in das Corpus aufgenommen.

(4) Burggraf v. Lüenz Nr.1
Das Lied besteht aus sechs Strophen, von denen die ersten bei-
den eine Serena darstellen, während 3, 4, 5 ohne Einschränkung
als Tagelied anzusehen sind. Strophe 6 ist ein Übergang zum
Kreuzlied. Da es im Corpus hauptsächlich um die Erfassung der
Konstituenten geht, werden die Strophen 3, 4, 5 aufgenommen.

---

1) Vgl. de Boor (III,1), 349:"Gunther ist ein eigenständiger
   Dichter, der, unbefriedigt von den traditionellen Formen
   u. Stilmitteln, diese durchbricht und neue Wege sucht."
2) Vgl. zuletzt Hugo Stopp (1970) S.51-58.

(5) Der Marner Nr.3
In der Strophe 1 gibt die Frau dem Wächter Anweisung, wann er
wecken soll. Das ist keine Serena, sondern nur eine Variation
des Tageliedes, da die Konstituenten gleich bleiben (Wecken).

(6) Otto von Botenlauben Nr.9+4, 14
Beide Lieder gehören der Gattung Serena an und enthalten nur
wenige Elemente des Tageliedes (heimliche Liebe).

(7) Steinmar Lied Nr.5 und 8
Lied Nr.5 reflektiert über die Figur des Wächters (unzuverläs-
sig) und stellt nicht den Abschied zweier Liebender am Morgen
dar, es ist daher kein Tagelied; Lied Nr.8 verläßt den höfischen Raum (ritter=kneht; frouwe=dirne; wächter=hirte), es
wird nicht in das Corpus aufgenommen.

(8) Ulrich von Lichtenstein Nr.36
Das Lied hat sieben Strophen, vier davon stellen eine Serena
dar, die letzten drei ein Tagelied. Strophe 5, 6, 7 werden in
das Corpus aufgenommen.

(9) Wolfram von Eschenbach Nr.4
Ähnlich wie Steinmar Nr.5 reflektiert Wolfram über die Tageliedsituation und verändert diese dadurch, daß er mit Geliebe-
te=Ehefrau Gefahr (heimliche Liebe) und Abschied aufhebt. Dieses Lied wird nicht in das Corpus aufgenommen.


3.1.2.  Einteilung nach Entstehungszeit


    Obwohl Datierungen in der mittelhochdeutschen Literatur
mangels gesicherter Bezugspunkte[1] nur schwer durchzuführen
sind, wollen wir dennoch den Versuch unternehmen, das Corpus
in mehrere Gruppen zu untergliedern, die sich aus den jeweiligen Entstehungszeiten ergeben. Dies  vor allem aus zwei Gründen: erstens soll für die Frage nach Abhängigkeit des Tageliedes von der Alba eine Gruppe früher Tagelieder herausgefunden
werden und zweitens soll versucht werden, gewisse interne

---

1) Vgl. P.F.Ganß (1964) S.12. Wir werden in Kapitel 4 noch
   einmal auf die Datierung zurückkommen.

Differenzierungen innerhalb der gegebenen Zeitspanne (ca. 100
Jahre) aufzuspüren, die dann mit den übrigen lyrischen Texten
der Zeit verglichen werden könnten. Eine solche zeitliche Ein-
ordnung kann nur von den Lebensdaten der Autoren her erfolgen;
wir müssen hierbei sowohl die Zuordnungen der einzelnen Lieder zu den Autoren durch die Wissenschaft als auch die Ergebnisse aus Forschungen über ihre Lebensdaten akzeptieren. Da
es jedoch um größere Zeiträume geht, kann Divergenz und Unschärfe in Einzelheiten ausgeglichen werden. Wir besprechen
jeden Autor in einem Abschnitt und verzeichnen das Ergebnis
zur besseren Übersicht in der zweiten Zeile unterhalb des Namens[1]. Nicht zu klärende Fälle erhalten die Kennzeichnung X
und bilden damit eine - freilich inhomogene - Gruppe.

1.  Bruno von Hornberg
    1230-1270
    Nach C.v.Kraus/H.Kuhn (1958) S.21 zwischen 1234 und
    1276 beurkundet.

2.  (Pseudo-Dietmar) MF 39,18
    vor 1220
    In der Diskussion[2] um dieses Lied gibt es nur zwei von
    der opinio communis abweichende Meinungen, die beide das
    Lied  n a c h  Wolfram von Eschenbach datieren. Der er-
    ste, R.Kienast (1954, 839), bleibt den Beweis schuldig;
    der zweite, G.Jungbluth (1963) erliegt einem Zirkel-
    schluß. Jungbluth sieht in dem konjizierten 'man' (v.2)
    den deutlichen Hinweis auf einen Wächter. Da aber nach
    Jungbluth Wolfram den Wächter in das mittelhochdeutsche
    Tagelied eingeführt habe, so sei MF 39,18  n a c h
    Wolfram zu datieren. Jungbluth bezieht sich hierbei auf
    W.Mohr (1948, 150), der gerade das 'heikle' Lied MF 39,
    18 aus seinen Erwägungen ausklammert und dann natürlich

---

1) Die Reihenfolge ergibt sich aus der LISTE 1, wobei natürlich die aus dem Corpus ausgeschiedenen unberücksichtigt
   bleiben. Die endgültige Aufstellung des Corpus steht am
   Ende der Untersuchung zur Datierung.
2) Vgl. H.de Boor (II) S.329, A.Hatto (1965) S.441 und zuletzt H.Schottmann (1971) S.471 und 489.

Wolfram als den ersten ansieht, der den Wächter verwendet. Fraglich bleibt, ob der Wächter überhaupt als Datierungskriterium verwandt werden kann. Wir setzen deshalb MF 39,18 vor 1220 an.

3. Heinrich von Frauenberg
   1260-1305
   Nach Verfasserlexikon (Bd.II, 260/61) zwischen 1258 und 1305 beurkundet.

4. Heinrich Frauenlob
   um 1300
   Nach de Boor (Bd.III/1, 334) starb er 1318 in Mainz. Das Lied soll nach H.Thomas (1939, 89 Anm.186) allerdings unecht sein. Dagegen steht, daß J.Schäfer (1966,202) generell zu den Entscheidungen von H.Thomas sagt, daß sie willkürlich und extrem sind. Wir datieren das Lied daher auf 'um 1300'.

5. Heinrich Teschler
   1250-1300
   Nach H.de Boor (III/1, 337) weist die Art seines Dichtens auf einen Mann der Jahrhundertmitte, nach Verfasserlexikon (Bd.IV) auf die zweite Hälfte des 13. Jahrhunderts; beurkundet zwischen 1252 und 1296.

6. Markgraf von Hohenburg
   ab 1230
   Entgegen H.Kuhn (1967, 83) plädieren wir mit F.Neumann (1955) für Bertold III., geboren etwa zwischen 1212 und 1215, da Neumann historisch und speziell familiengeschichtlich argumentiert, während H.Kuhn dichtungstypologische Argumente anführt[1].

7. Jakob von Warte
   X
   Verfasserlexikon (Bd.II, 574) datiert auf 2. Hälfte des 13. Jahrhunderts, wobei drei Personen dieses Namens zwi-

---

1) Vgl. zuletzt H.Schottmann (1971, 496), der sich Neumann anschließt.

schen 1272 - 1331 urkunden. Da H.de Boor (III,1, 308) die Lebensdaten nicht mit Sicherheit angeben kann, fällt Jakob von Warte in die Gruppe X.

8. Johannes Hadlaub
um 1300
R.Leppin (1961,1) datiert den Beginn seines Schaffens auf kurz nach 1293, was auch der Deurkundung zwischen 1302 und 1340 entspricht[1].

9. Konrad von Würzburg
1250-1290
Nach H.de Boor (III,1, 30) um 1225/30 geboren, am 31.8. 1287 in Basel gestorben. H.Kuhn (1967, 180) rechnet ihn der zweiten Jahrhunderthälfte zu.

10. Kristan von Hamle
X
Nach C.v.Kraus/H.Kuhn (1958, 267) ist kein solches freiherrliches Geschlecht nachweisbar; sie stimmen der gängigen Datierung (Literatur ebda.) auf "um 1225" zu, die aber nur auf literaturtypologischen Argumenten beruht[2].

11. Luithold von Savene
X
C.v.Kraus/H.Kuhn (1958, 294) datieren die Lieder des urkundlich nicht bezeugten Autors nach indirekten Zeugnissen auf das 3. Jahrzehnt des 13. Jahrhunderts.

12. Burggraf von Lüenz
1230-1270
Nach C.v.Kraus/H.Kuhn (1958, 300) zwischen 1231 und 1269 urkundlich erwähnt.

13. Der Marner
1230-1270
Nach H.Brackert (1965, 188) war er 1231 großjährig und starb vor 1287.

---

1) Vgl. zuletzt H.Schottmann (1971, 500).
2) Vgl. auch H.Schottmann (1971, 498): erste Hälfte des 13.Jh.

14. Namenlos (Carm. bur.)
    X

15. Namenlos KLD 38, a40
    X

16. Namenlos KLD 38,38a
    X
17. Namenlos MS 427a
    X

18. Otto von Botenlauben
    1220-1230
    Nach D.Jaehrling (1970, 2) um 1180 geboren und um 1244
    gestorben. Das dichterische Werk ist vor 1230 entstan-
    den.

19. Rubin
    X
    C.v.Kraus/H.Kuhn (1958, 404) datieren die Lieder des
    nicht beurkundeten Dichters aufgrund einer Kreuzzugser-
    wähnung auf das 4. Jahrzehnt des 13. Jahrhunderts.

20. Ulrich von Lichtenstein
    1220-1275
    Nach C.v.Kraus/H.Kuhn (1958, 520) wurde der Dichter um
    1198 geboren und starb 1275/76. Er soll seine Lieder in
    den Jahren 1222 bis 1250 verfaßt haben.

21. Ulrich von Singenberg
    ab 1230
    Nach H.Kuhn (1967) zwischen 1219 und 1228 beurkundet. In
    Übereinstimmung mit H.Schottmann (1971, 497) dürften die
    Lieder im 4. Jahrzehnt des 13. Jahrhunderts entstanden
    sein, da der Autor zum Zeitpunkt der ersten Beurkundung
    nicht volljährig gewesen ist.

22. Ulrich von Winterstetten
    1240-1280
    Nach C.v.Kraus/H.Kuhn (1958, 558) zwischen 1241 und 1280
    beurkundet.

23. Walther von Breisach
    1256-1300
    Nach C.v.Kraus/H.Kuhn (1958, 624) zwischen 1256 und 1303
    beurkundet.

24. Walther von der Vogelweide
    vor 1220
    Nach Wapnewski (1966, 287) ist der Autor etwa 1170 gebo-
    ren und etwa 1230 gestorben. Die Überlegungen um die Ent-
    stehung des Tageliedes können hier nicht berücksichtigt
    werden[1], weil sie sich von den Fakten weit entfernt ha-
    ben.

25. König Wenzel von Böhmen
    1290-1305
    Nach C.v.Kraus/H.Kuhn (1958) lebte Wenzel von 1271-1305.

26. Winli
    X
    Nach Verfasserlexikon (Bd.IV, 1007) zeitlich nicht ein-
    zuordnen.

27. Wizlaw von Rügen
    1290-1320
    Nach U.Scheil (1962, 83) etwa 1265 geboren und Anfang
    Dezember 1325 gestorben.

28. Der von Wissenlo
    X
    Nach C.v.Kraus/H.Kuhn (1958, 644) und H.de Boor (III,1,
    345) zeitlich nicht einzuordnen.

29. Wolfram von Eschenbach
    Vor 1220
    Den Lebensdaten[2] entsprechend müßten die Lieder vor dem
    2. Jahrzehnt des 13. Jahrhunderts entstanden sein; es
    muß unbeachtet bleiben, daß die Forschung[3] mit einer

---

1) K.Halbach (1965, 106) plädiert für Entstehung um 1220, C.
   v.Kraus (nach Halbach, ebda.) für Abfassung in einer frü-
   heren Zeit (um 1190).
2) Vgl. C.v.Kraus/H.Kuhn (1958) S.648.
3) Vgl. zuletzt J.Bumke (1970) S.340.

frühen Entstehung rechnet (vor bzw. um 1200), da dies
nur durch dichtungstypologische Erwägungen bewiesen wird.

Die Lebensdaten der Autoren ergeben folgende Reihe:
1.   vor 1220
2.   vor 1220
3.   vor 1220
4.        1220 - 1230
5.        1220 - 1275
6.   ab  1230
7.   ab  1230
8.        1230 - 1270
9.        1230 - 1270
10.       1230 - 1270
11.       1240 - 1280
12.       1250 - 1280
13.       1250 - 1290
14.       1256 - 1300
15.       1260 - 1305
16.       1280 - 1320
17.       1290 - 1305
18.  um  1300
19.  um  1300

Hierbei fallen drei Schwerpunkte auf:
    1. Ende 12., Anfang 13. Jahrhundert (Nr. 1.-3.).
    2. Mitte 13. Jahrhundert (Nr. 6.-10.).
    3. Zweite Hälfte des 13. Jahrhunderts (Nr. 13.-19.),
sowie zwei Übergangsbereiche:
    1. Nr. 4. und 5.
    2. Nr. 11. und 12.
Da nun die Mitte der Daten von Nr. 5  nur ganz gering von der
Mitte der Nr. 8-10 differiert, gehört Nr.5 der 2. Gruppe an,
während Nr.4 der 1. Gruppe zugeschlagen wird.
    Der 2. Übergangsbereich liegt leider enger beisammen,
so daß hier eine gänzlich befriedigende Lösung nicht gefunden
werden kann. Wir schlagen Nr.11 der 2. Gruppe und Nr.12 der
3. Gruppe zu und erhalten folgende endgültige Gruppierungen:

A    Ende 12., Anfang 13. Jahrhundert:

(Dietmar von Aist) MF 39,18
Walther von der Vogelweide
Wolfram von Eschenbach
Otto von Botenlauben

B    Mitte des 13. Jahrhunderts:

Bruno von Hornberg
Markgraf von Hohenburg
Burggraf von Lüenz
Marner
Ulrich von Lichtenstein
Ulrich von Singenberg
Ulrich von Winterstetten

C    Zweite Hälfte des 13. Jahrhunderts:

Heinrich von Frauenberg
Heinrich Frauenlob
Heinrich Teschler
Johannes Hadlaub
Konrad von Würzburg
Walther von Breisach
Wenzel von Böhmen
Wizlaw von Rügen

X    Nicht einzuordnen:

Jakob von Warte
Kristan von Hamle
Luithold von Savene
Namenlos (Carm. bur.)
Namenlos KLD 38, 38 a
Namenlos KLD 38, a 40
Namenlos MS 427 a
Rubin
Winli
Wissenlo

Es wäre in diesem Zusammenhang außerordentlich reizvoll gewesen, die gleiche Reihenfolge aufzustellen, die H.Kuhn (1967,
158) gefunden hat, um dann die Konstituenten bei Minnesang
einerseits und Tagelied andererseits zu vergleichen. Dies geht
jedoch deshalb nicht, weil Kuhn leider keine eindeutigen Da-
tierungsprinzipien anwendet. Er vermischt nämlich Lebensdaten
mit dichtungstypologischen Ergebnissen. So reicht bei ihm die
Stufe II von 1250 bis 1280, wodurch Ulrich von Winterstetten
und Konrad von Würzburg in eine Gruppe kämen, in unserer Einteilung aber in B bzw. C eingeordnet sind. Da Kuhn zu dieser
Gruppe auch die "ostdeutschen Fürsten" rechnet, also Wenzel
und Wizlaw, kann er hierbei nur von dichtungstypologischen
Kriterien ausgehen, denn nach den Lebensdaten - und nur von
diesen können wir ausgehen - gehören diese beiden eindeutig
in Kuhns Gruppe III (1280-1310).

Nun ist es möglich, das angekündigte, endgültige Verzeichnis des Corpus zu erstellen (LISTE 2), das durch einige Zu-
satzinformationen angereichert wird.

LISTE 2

DAS CORPUS

LEGENDE

| | | |
|---|---|---|
| TL : L | = | Tageliedanteil am gesamten Liedschaffen |
| Zeit | = | Einteilung in die vier Zeitgruppen (s.o.) |
| SZ | = | Anzahl der Strophen |
| r | = | Refrain |
| f | = | Fragment. Wortanzahl der einen Strophe in Klammer. |
| x+y | = | Mit + verbundene Zahlen gehen auf die Darlegungen weiter oben zur Berücksichtigung der Strophen zu-rück. |
| GWZ | = | Wortanzahl im Tagelied. |

LISTE 2

| Lied Nr. | Name des Dichters | TL Nr. | Sigle | Zeit | SZ | GWZ | TL:L |
|---|---|---|---|---|---|---|---|
| 1 | Bruno von Hornberg | + | BvH | B | 3 | 152 | 1: 3 |
| 2 | Dietmar von Aist | + | DvE | A | 3 | 69 | 1:50' |
| 3 | Heinrich von Frauenberg | + | HvF | C | 3 | 72 | 1: 4 |
| 4 | Heinrich Frauenlob | + | HF | C | 3 | 452 | 1:12 |
| 5 | Heinrich Teschler | + | HT | C | 3 | 171 | 1:12 |
| 6 | Markgraf von Hohenburg | + | HB | B | 3r | 192 | 1: 6 |
| 7 | Jakob von Warte | + | JvW | X | 3 | 189 | 1: 5 |
| 8 | Johannes Hadlaub | 14 | JH 14 | C | 3 | 171 | 1:50 |
| 9 | | 33 | JH 33 | C | 3 | 240 | 1:50' |
| 10 | | 34 | JH 34 | C | 3 | 198 | 1:50' |
| 11 | | 50 | JH 50 | C | 3 | 162 | 1:50' |
| 12 | Konrad von Würzburg | 14 | KvW14 | C | 3 | 201 | 2:20 |
| 13 | | 15 | KvW15 | C | 3 | 366 | 2:20 |
| 14 | Kristan von Hamle | + | KvH | X | 4 | 176 | 1: 5 |
| 15 | Luithold von Savene | + | LvS | X | f | (51) | 1: 7 |
| 16 | Burggraf von Lüenz | 1 | Lüz 1 | B | 2+3+1 | 168 | 2: 0 |
| 17 | | 2 | Lüz 2 | B | 3 | 120 | 2: 0 |
| 18 | Der Marner | 2 | Mar 2 | B | 3 | 213 | 2:13 |
| 19 | | 3 | Mar 3 | B | 3 | 216 | 2:13 |
| 20 | carm. bur. | + | Ncb | X | f | (28) | -.- |
| 21 | Namenlos a40 - 43 | + | N26 | X | 4 | 176 | -.- |
| 22 | Namenlos 38a | + | N25 | X | 4 | 266 | -.- |
| 23 | Namenlos 427a | + | N27 | X | 3 | 372 | -.- |
| 24 | Otto von Botenlauben | 3 | OvB 3 | A | 3 | 201 | 2:10 |
| 25 | | 13 | OvB13 | A | 3 | 177 | 2:10 |
| 26 | Rubin | + | Rub | X | 6 | 318 | 1:21 |
| 27 | Ulrich von Lichtenstein | 36 | UvL36 | B | 4+3 | 152 | 2:50' |
| 28 | | 40 | UvL40 | B | 7 | 238 | 2:50' |
| 29 | Ulrich von Singenberg | 9 | UvS 9 | B | 5r | 145 | 2:30 |
| 30 | | 14 | UvS14 | B | 5 | 295 | 2:30 |
| 31 | Ulrich von Winterstetten | 7 | UvW 7 | B | 3 | 219 | 5:40 |
| 32 | | 13 | UvW13 | B | 3 | 153 | 5:40 |
| 33 | | 27 | UvW27 | B | 3 | 135 | 5:40 |

LISTE 2

| Lied Nr. | Name des Dichters | TL Nr. | Sigle | Zeit | SZ | GWZ | TL:L |
|---|---|---|---|---|---|---|---|
| 34 | | 28 | UvW28 | B | 3 | 150 | 5:40 |
| 35 | | 29 | UvW29 | B | 3 | 182 | 5:40 |
| 37 | Walther von Breisach | + | WB | C | 5 | 250 | 1: 2 |
| 37 | Walther v.d.Vogelweide | + | WV | A | 7 | 385 | 1:50' |
| 38 | König Wenzel von Böhmen | + | WvB | C | 3 | 273 | 1: 2 |
| 39 | Winli | + | Win | X | f | (75) | 1: 7 |
| 40 | Wizlaw von Rügen | + | WvR | C | 3 | 117 | 1:13 |
| 41 | Der von Wissenlo | 1 | Wiz 1 | X | 3 | 153 | 4: 0 |
| 42 | | 2 | Wiz 2 | X | 3r | 89 | 4: 0 |
| 43 | | 3 | Wiz 3 | X | 2 | 118 | 4: 0 |
| 44 | | 4 | Wiz 4 | X | 1 | 69 | 4: 0 |
| 45 | Wolfram von Eschenbach | 1 | WvE 1 | A | 3 | 216 | 4: 3 |
| 46 | | 2 | WvE 2 | A | 5 | 280 | 4: 3 |
| 47 | | 5 | WvE 5 | A | 3 | 153 | 4: 3 |
| 48 | | 7 | WvE 7 | A | 4 | 332 | 4: 3 |

## 3.1.3. Der Text

Der Ausgangspunkt und das Objekt der Inhaltsanalyse ist
der Text. Nun ist dieses Objekt über einen Zeitraum von rund
700 Jahren auf uns gekommen und birgt dieserhalb einige
Schwierigkeiten hinsichtlich der eindeutigen Festlegung. Verschiedene Fassungen, Auslassungen und fällige Konjekturen lassen ein fast inakzeptables Flickwerk erwarten, wenn es nicht
die große Kunst der Textkritik gäbe. Der Einwand, daß hier
der subjektiven Einflußnahme in jeder Richtung Tür und Tor ge-
öffnet sind, verfängt nicht, wenn wir die Relationen bedenken,
in denen die literarischen Zeugnisse der mittelhochdeutschen
Zeit stehen. Die Entstehung der Handschriften liegt in vielen
Fällen etliche Jahrhunderte später als die Entstehung der Lieder. Daraus ergibt sich ein inhomogenes Bezugssystem, das zu
entwirren heute fast unmöglich ist. Eine große Diskrepanz entsteht freilich durch einen Anspruch, der auf der einen Seite

hohe Erwartungen weckt, auf der anderen Seite diese Erwartungen bitter enttäuscht. Wir meinen den Anspruch, die Realität der tatsächlichen Gegebenheiten aufspüren zu wollen. Wie weit dieser Anspruch aus einer wissenschaftstheoretischen Zielsetzung folgt - man denke an die Versuche, die urgermanische, oder auch die indoeuropäische Sprache finden zu wollen, an den Anspruch, den Urtyp des Menschen im Affen gefunden zu haben - braucht hier nicht erörtert zu werden, wichtig ist nur, daß diese Zielsetzung der Spekulation viel Spielraum gab. Wir meinen, daß es an der Zeit ist, das auf uns gekommene Material so zu nehmen, wie es vorliegt, und das zu analysieren. Es erscheint uns freilich wichtig, die Frage zu beantworten, wie die realen literarischen Verhältnisse zu dieser Zeit waren, doch ist diese Antwort erst dann möglich, wenn alle Grundlagen erarbeitet sind. Und eine dieser Grundlagen ist die Analyse der Texte in der Form, wie sie nun einmal vorliegen.

Aus dieser Zielsetzung folgt, daß für die Textgestaltung der Autoren die jeweils letzte Edition maßgeblich ist. Zwar ergibt das eine Spanne von etwa einhundert Jahren (MS - KLD) und umfaßt damit die Geschichte der älteren deutschen Philologie, doch ist es gerade deshalb legitim, die Ergebnisse dieser Forschung als Grundlage zu nehmen.

Das heißt also, daß wir die unterschiedlichen Qualitäten der Editionen und auch die unterschiedliche Behandlung der Autoren - die Literatur über Wolfram, Walther und die anderen Großen des Minnesangs füllt bekanntlich Bände, während über Wissenlo oder Winli fast nichts geschrieben wurde - vom Stand der heutigen Forschung aus betrachten und dann feststellen müssen: weder in dem einen noch in dem anderen Fall gibt es für unser Analyseverfahren ins Gewicht fallende Schwierigkeiten. In vier der 48 Lieder ist jeweils auf eine die Inhaltsanalyse betreffende Abweichung in den verschiedenen Handschriften (LvS; OvB 13,2; Wiz 2; WvE 7,1) verzeichnet, bei denen jedoch die Argumente des Herausgebers übernommen wurden[1].

---

1) Die Arbeit von K.H.Borck (1959) konnte, weil unveröffentlicht und nur z.T. zugänglich, nicht berücksichtigt werden.

Damit liegt als Analyse-Objekt ein Corpus sprachlicher Zeichen vor, das wohldefiniert ist (d.h. alle Texte sind einsehbar und genau begrenzt) und das als M o d e l l zu gelten hat. Textveränderungen an den Liedern durch plausible Konjekturen und neu aufgefundene Handschriften können diese Textauswahl nicht umstürzen, denn sie würden hierbei nur ein Modell durch ein anderes ersetzen, wobei ungeklärt bliebe, welchem der Vorrang gebühre. Gesetzt, das 2. Modell erwiese sich als in sich schlüssiger, so wäre das Anlaß, eine Modifikation der Ergebnisse der 1. Inhaltsanalyse durch eine des 2. Modells zu erlangen. Wir halten also,kurz gesagt, die Zahl der möglichen Fehler aus den bekannten Fällen der Textkritik für nicht so groß, daß sie das Ergebnis der Analyse nennenswert beeinflussen könnten, zumal auch diese keinen Absolutheitsanspruch erhebt, sondern nur aus der Arbeit der Philologie einige reife Früchte ernten will.

## 3.2. A u f l i s t u n g   u n d   R e l a t i o n e n   d e r   E l e m e n t e   u n d   K o n s t i t u e n t e n

Die literaturwissenschaftlichen Probleme im Zusammenhang des mittelhochdeutschen Tageliedes sind in Kapitel 1 ausführlicher dargestellt worden. Sie sind zudem in verdichteter Form in die provisorische Bestimmung der Konstituenten eingegangen. Wir können also hieran anknüpfen. Eine erste Modifikation ergibt sich aus dem Unterschied eines dichtungstheoretischen, spezieller eines gattungstheoretischen Standpunktes und der konkreten literarhistorischen Fragestellung. Für erstere sind die Figuren zunächst Konstituenten wie die anderen Inhaltsmomente auch. Für letztere gewinnt dieses Vorkommen für den Vergleich mit anderen literarischen Texten und deren Darstellungsweise eben dieser Figuren eine besondere Bedeutung (Auffassung der "frouwe" im Vergleich zum sog. Hohen Minnesang).

Dies ergibt eine nachträgliche Begründung für unsere

Schreibweise der Analysezeile sowie die Erläuterung der ersten beiden Komplexe der Materialdarstellung. Demnach besteht der erste Komplex aus einer Liste aller Elemente. Diese Liste (3.1.) steht dem analysierten Corpus am nächsten, denn sie repliziert den Text, der zur Bildung der Elemente führte (insbesondere der Varianten) und gibt die Fundstelle an. Ferner wird eine Einteilung des Corpus in vier Zeitstufen verzeichnet, die weiter oben schon erläutert wurden, die Einzelsumme pro Element und die Gesamtsumme aller Elemente angegeben. Der absolute Anteil wird in der LISTE 3.2 ausgewiesen.

LISTE 3.1 bietet die Möglichkeit, den Analysevorgang in allen Einzelheiten nachzuvollziehen und zu überprüfen. Alle folgenden Listen bauen auf dieser Liste auf.

Aufgrund der Mengenverhältnisse, wie sie aus den LISTEN 3 hervorgehen, werden die Konstituenten ermittelt und in den LISTEN 4 zusammengestellt. Das hierbei angewandte Verfahren zur Bildung der Konstituenten wird im Vorspann zu den LISTEN 4 erläutert, da es nur im Anschluß an die Darstellung der Elemente durchgeführt werden kann. Diese Listen enthalten die absolute (LISTE 4.1) und die relative (LISTE 4.2) Verteilung der Konstituenten auf die einzelnen Zeitabschnitte sowie ein Diagramm (LISTE 4.3). Hierbei wird der Umstand zu berücksichtigen sein, daß sich der Anteil der Lieder nicht gleichmäßig auf alle vier Epochen verteilt und somit eine rechnerische Umwandlung für die Gewinnung von exakten Vergleichszahlen nötig ist.

Die LISTEN 5 stellen die Verbindung Figur - Element (5.1) bzw. Figur - Konstituente (5.8), also die figuren-spezifische Tätigkeit, absolut und relativ, dar. In LISTE 5.1 wird nur darauf geachtet, welcher Figur welches Element als Handlungs- oder Erleidensspielraum - sei es von der Figur selbst oder von anderen - zugesprochen wird. In einer Synopse dazu stellt die LISTE 5.2 (absolut und relativ) die Beziehung Figur - Element dar, die tatsächlich praktiziert wird. Ein Beispiel mag den Unterschied illustrieren:

Frau: "geselle reine ... île von mir hin" (KvW 15,2). Die Aussage besteht darin, daß hier der Ritter weggehen soll. Dieser Umstand wird in der LISTE 5.1 als Faktum vermerkt:

R i t t e r  geht weg. Nun ist es jedoch die Frau, die hier
Sorge trägt und die den Tatbestand ausspricht, d.h. die Frau
ist in diesem Falle  a k t i v. Dieser Umstand wird in LISTE
5.2 eingetragen. (In Erinnerung an die Analysezeile - s. Kapitel 2 - : LISTE 5.2 verzeichnet die Lesung der 1.Position).
Aus der Synopse ist dann die jeweilige Aktivität der Figuren
abzulesen.

Die Graphiken 5.3, 5.4 und 5.5 veranschaulichen die relative und absolute Verteilung der jeweils signifikanten Elemente
unter den Figuren nach den Angaben in LISTE 5.1, woraus dann
eine Zuordnung von Element zu Figur abgelesen werden kann.

LISTE 5.6 trägt dem Umstand Rechnung, daß viele Elemente
in Richtung auf eine andere Figur zielen (z.B. das Element
FÜRSORGE u.v.m.) und daß damit Intentionen der Figuren erfaßt
werden können. LISTE 5.7 faßt dann die Ergebnisse aus den
LISTEN 5.1 bis 5.6 zusammen (absolut und relativ).

LISTE 5.8 (s.o.) stellt ein Korrektiv der Elementenbildung
dar, da die Tendenz der Konstituenten mengenmäßig mit der der
Elemente übereinstimmen sollte. Ein Diagramm (5.9) veranschau-
licht die Daten aus 5.8.

Um eine Antwort auf die Frage nach Abhängigkeiten und Zusam-
menhängen unter Tageliedern und Autoren zu bekommen, wird in
der LISTE 6 das Ergebnis eines Gruppierungsversuchs der einzelnen Lieder nach den von ihnen realisierten bzw. nicht realisierten Elementen wiedergegeben. Dieser Versuch wurde mit Hilfe eines taxometrischen Verfahrens in der Zentralen Rechenan-
lage der Universität Marburg durchgeführt. Das Verfahren[1] wird
hauptsächlich von der medizinischen und biologischen Statistik
angewandt, um Dendrogramme von Artähnlichkeiten zu erstellen[2].

---

1) Verf. dankt auch an dieser Stelle Herrn M.Tücke vom Institut für Medizinisch-Biologische Statistik und Dokumentation
   der Universität Marburg für die freundliche Beratung.
2) Nach D.J.Veldman (1967); vgl. auch R.R.Sokal und P.A.Sneath
   (1963) und U.Baumann (1971).

LISTEN   3

DIE ELEMENTE

LISTE   3.1

LEGENDE:

Rubrik I
Kapitälchen          :  Sigle des Elementes.
Kleinbuchstabe       :  Zusätzliche Sigle für die Variante.

Rubrik II
Kapitälchen          :  Beschreibung des Elementes.
Kleinbuchstaben      :  Mittelhochdeutscher Wortlaut.

Rubrik III - IV      :  Verzeichnis der Fundstellen in der o.a.
                        Abkürzung der Lieder, eingeteilt nach
                        den Zeitgruppen A, B, C, X (in dieser
                        Reihenfolge).
$                    :  Gesamtsumme des Elementes, unter den
                        Zeitgruppen die jeweilige Einzelsumme.

LISTE 3.1


**AL   ALLEINE ZURÜCK BLEIBEN**

|   | | | | |
|---|---|---|---|---|
| | eine lâzen | DvE   3 | Lüz   2.3 | |
| w | verweisen | | | WB   2 |
| | **$ : 3** | 1 | 1 | 1 |


**AS   AUFSTEHEN**

|   | | | | | |
|---|---|---|---|---|---|
| | ûfstên | OvB 13.1 | | WvB   2 | Wiz   2.1 |
| | | 13.2 | | HF   2 | |
| | | 13.3 | | JH  50.3 | |
| w | wol ûf | | UvS   9.5 | WvB   1 | Wiz   2.1 |
| | | | 14.5 | HT   1 | |
| | | | UvW 29.2 | 1 | |
| | | | UvL 36.5 | | |
| | | | 40.1 | | |
| | | | Mar   3.3 | | |
| | | | Lüz   1.4 | | |
| e | erheben | | UvW 27.1 | | |
| | **$ : 19** | 3 | 8 | 6 | 2 |


**AW   AUFWACHEN**

|   | | | | | | |
|---|---|---|---|---|---|---|
| | (ûf)wachen | WvE  5.1 | BvH   1 | HvF   1 | N26   3 |
| | | 5.2 | HB   1 | KvW 14.1 | |
| | | OvB  3.3 | Mar  2.1 | 15.2 | |
| | | | Lüz  1.3 | JH  33.2 | |
| | | | | HT   2 | |
| | | | | 2 | |
| | | | | HF   1 | |
| m | munder werden | | | HF   1 | |
| u | unsanft erwecket | OvB  3.3 | | | N27   3 |
| | **$ : 18** | 4 | 4 | 8 | 2 |


**BE   BERG**

|   | | |
|---|---|---|
| berc | | N27   1 |
| **$ :  1** | | 1 |


**BL   BLEIBEN**

|   | | |
|---|---|---|
| blîben | WvE  2.2 | HF   1 |
| | 7.1 | 3 |
| | 7.1 | HvF   3 |
| | WV   3 | WvB   1 |
| | | WvR   3 |

|   |   |   |   |   |   |   |   |
|---|---|---|---|---|---|---|---|
| b | hie bestên | WvE | 1.1 | | | | |
| g | gern bî iemen sîn | | | | | JH | 33.2 |
| s | dem rîter nahet pîn | | | | | HF | 1 |
|   | lebt er nâch ir sin | | | | | | |

| $ : 12 | 5 | 7 |
|---|---|---|

**BM    BAUM**

|   |   |   |   |   |   |   |   |
|---|---|---|---|---|---|---|---|
| a | ast | | | Mar | 2.2 | KvW | 15.1 |
| l | linde | DvB | 1 | | | | |
| z | zwî | DvE | 1 | Mar | 2.1 | | |

| $ : 5 | 2 | 2 | 1 |
|---|---|---|---|

**BS    HERKOMMEN**

|   |   |   |
|---|---|---|
| (selten)dringen | N26 | 2 |

| $ : 1 |
|---|

**BU    BLUME**

|   |   |   |
|---|---|---|
| waz helfent bluomen | WV | 5 |
| rôt... | | |

| $ : 1 | 1 |
|---|---|

**BV    ANBEFEHLEN**

|   |   |   |   |   |   |
|---|---|---|---|---|---|
|   | bevolhen sîn | Lüz | 1.4 | | |
| a | dû bist mir für | Lüz | 1.4 | | |
|   | alle man | | | | |
| b | lîp für eigen jehen | BvH | 3 | | |
|   | | UvW | 27.2 | | |
| c | got den lîp bevelhen | | | N26 | 4 |

| $ : 5 | 4 | 1 |
|---|---|---|

**DA    DANK**

|   |   |   |   |   |
|---|---|---|---|---|
| danc | Lüz | 2.3 | WvR | 2 |

| $ : 2 | 1 | 1 |
|---|---|---|

**DB    'MINNEDIEP'**

|   |   |   |
|---|---|---|
| | WvB | 2 |

| $ : 1 | 1 |
|---|---|

**DI    DIENST**

|   |   |   |   |   |
|---|---|---|---|---|
| dienst | OvB | 3.1 | Rub | 5 |
| | | 3.1 | | |
| | | 3.1 | | |

| $ : 4 | 3 | 1 |
|---|---|---|

EB    ERBARMEN

  g  daz müeze got erbarmen      UvW 29.3
  l  lâ dich erbarmen          UvL 36.7

  $ : 2                    2

EK    HINAUSGEHEN

  s  ûz sîn                  JH  50.3
  u  ûz slîchen            JH  50.2
  v  verlâzen              JH  50.3

  $ : 3                    3

EO    EROBERN

  dîn zuht, dîn manheit                  Win     -
  und dîn milte hât mich
  mit swert und ouch mit
  sper ervohten

  $ : 1                                                         1

ER    ANSEHEN

| | | | | | | | | |
|---|---|---|---|---|---|---|---|---|
| êre | WvE | 2.3 | HB | 1 | HF | 3 | N26 | 4 |
| | OvB | 3.1 | UvW | 29.1 | JH | 14.1 | Wiz | 1.1 |
| | | 3.1 | UvS | 9.3 | | 14.2 | | 1.3 |
| | | 13.1 | | | | 34.1 | | |
| | WV | 6 | | | | 34.1 | | |
| | | | | | | 34.3 | | |
| | | | | | WvB | 2 | | |
| | | | | | KvW | 14.1 | | |

  g  got pflige der êre          UvL 36.7
  r  rîters êre tuon            UvW 13.3
  x  êre ergeben sîn    WvE 5.1

  $ : 22         6           5          8         3

ES    ERSCHRECKEN

| | | | | | | | | |
|---|---|---|---|---|---|---|---|---|
| erschrecken | WvE | 2.4 | BvH | 2 | KvW | 15.2 | JvW | 2 |
| | | 2.4 | Lüz | 1.4 | HF | 1 | N26 | 3 |
| | | 2.5 | UvW | 13.2 | JH | 34.1 | Wiz | 1.3 |
| | | | | 29.2 | | | | 2.2 |
| | | | | | | | | 4 - |

  $ : 15         3           4          3         5

ET    EROTIK

  a  anders gab in      WvE  2.5
      minne lôn
  f  der hôhste fride    WvE  7.1
      müeze in noch an
      mînen arm geleiten
  j  an ir bejagen      WvE  5.3
  l  lustik sich in liebe                         N27    3
      vereinen

| | | | | | |
|---|---|---|---|---|---|
| m | mêr dannoch ergên | WvE 5.3 | UvS 14.3 | WvB 3 | |
| | $ : 7 | 4 | 1 | 1 | 1 |
| **FE** | **FENSTER** | | | | |
| | venster | | UvL 40.1<br>Mar 2.2 | HF 2 | N27 2 |
| | $ : 4 | | 2 | 1 | 1 |
| **FL** | **FLUOH(EN)** | | | | |
| | vluoch | WvE 7.3 | | | |
| p | unprîsen | | | | N27 2 |
| u | unsaelic sîn | | HB 2 | | |
| v | vrouwenroup | | | | N27 2 |
| w | wê geschehe | WV 1 | | | Wiz 2.2 |
| h | heiles diep | | | KvW 15.2 | |
| | $ : 7 | 2 | 1 | 1 | 3 |
| **FR(+)** | **FREUDE** | | | | |
| | vröude | | UvL 36.5<br>UvS 9.1<br>UvW 13.3 | JH 34.2<br>WvB 3<br>HT 3 | KvH 2<br>N25 3<br>4 |
| v | vrô blîben | | | | JvW 3 |
| a | niht zer welte<br>saelde dirre vor | | UvS 9.4 | | |
| k | künfteclichiu vreude | | UvS 14.1 | | |
| p | vreude ze pfande lân | | UvW 13.1 | | |
| s | senfte | OvB 13.2 | | | |
| u | lust | | | WvB 3 | N27 2<br>2 |
| z | mit fröiden | | | WvB 3 | |
| | $ : 18 | 1 | 6 | 5 | 6 |
| **FR(-)** | **KEINE FREUDE** | | | | |
| | vröude wirt genomen<br>etc. | WvE 1.1<br>1.1<br>2.2<br>7.4<br>OvB 13.2<br>13.3 | UvL 36.7<br>Lüz 2.2<br>2.3<br>UvS 9.3<br>UvW 13.2<br>27.3<br>28.2<br>29.3<br>UvS 14.4<br>HB 2 | KvW 14.1<br>14.2<br>14.3<br>14.3<br>15.1<br>15.2<br>15.2<br>15.3<br>15.3<br>WB 2<br>2<br>5<br>HvF 2<br>HT 2<br>2<br>JH 14.2<br>HF 2 | JvW 1<br>KvH 3<br>N25 2<br>N26 3<br>Wiz 2.2<br>3.2 |
| | $ : 40 | 7 | 10 | 17 | 6 |

FS  FÜRSORGE

| | | | | | |
|---|---|---|---|---|---|
| a | ze guote komen | | | | Wiz 3.1 |
| b | durch guot | | | | Wiz 3.1 |
| c | ziugen daz er geleistet hât | OvB 3.2 | | | |
| | swaz er leisten sol | | | | |
| g | den gnaden enpfelhen | | HB 3 | | |
| l | um ir werden friundes lîp singen | OvB 3.1 | | | |
| m | mîn | OvB 3.1 | | | |
| p | pflegen | OvB 3.1 3.1 | UvL 40.5 | | |
| u | unschuldic | | Lüz 1.3 | | |
| v | zwîvel (ob frouwe den rîter weckt) | OvB 3.2 | | | |
| w | walten | | Mar 3.2 | | |
| z | selb dar zuo sehen | | | JH 50.2 | |
| **$ : 13** | | **6** | **4** | **1** | **2** |

FU  (ANZEICHEN VON) GEFAHR

| | | | | | |
|---|---|---|---|---|---|
| a | verderben/verlorn sîn/unbehuotligen | OvB 3.2 3.3 WV 2 5 | UvS 14.2 HB 3 Lüz 1.3 UvW 13.1 29.1 29.1 | KvW 14.1 14.3 14.3 15.1 HT 1 JH 14.2 14.2 14.3 14.3 14.3 34.1 34.1 34.1 50.1 50.3 WvB 1 1 | N26 2 2 LvS f Wiz 1.1 N25 4 |
| b | vürhten | | BvH 2 HB 1 UvW 27.1 | JH 14.2 | |
| d | lîp behalten | WvE 2.3 | UvW 13.1 | | |
| l | bî dir ligt mîn leben | | | WB 4 | |
| o | lîp ergeben sîn | WvE 5.1 | | | |
| s1 | ûf den lîp stên/ligen | | | JH 14.2 50.2 | N26 1 |
| s2 | gelte ez den lîp | OvB 13.3 | | | |
| s3 | den lîp wagen | | | | Wiz 4.- |
| s4 | ûf den lîp liehten | | | | Wiz 1.1 |
| v | den lîp verliesen | | HB 3 UvL 40.4 40.4 UvS 14.2 | | |
| w1 | den lîp niht ringe wigen | | UvW 7.1 | | |
| w2 | der lîp liep sîn | | | | Wiz 1.3 |
| x | lîp ist unbehuot | OvB 13.1 | | | |
| **$ : 53** | | **8** | **15** | **21** | **9** |

**GB GEBIETEN**

| gebieten | DvE 2 | UvW 27.2 |
| | WV 6 | |
| $ : 3 | 2 | 1 |

**GH ZUM WÄCHTER GEHEN**

| a | zuo im dringen | | HvF 1 |
| g | gâhen | | WvB 2 |
| | $ : 2 | | 2 |

**GL GLAUBEN**

| niht verzigen/ | Mar 2.2 | JH 33.1 | N25 1 |
| ûz ernste etc. | | 33.2 | |
| | | HF 2 | |
| $ : 5 | 1 | 3 | 1 |

**GT GÜTE**

| | güete | WvE 7.4 | UvL 36.7 |
| | | | UvS 14.3 |
| n | dîn wîplich güete | WvE 7.3 | |
| | neme mîn war und sî | | |
| | mîn schilt | | |
| | $ : 4 | 2 | 2 |

**GW GLEICHWERT**

| dîn liep, dîn leit, | UvS 14.5 |
| dîn swaere vür daz | |
| mîne wac | |
| $ : 1 | 1 |

**HE HELFEN**

| | helfen | WvE 5.1 | | HvF 3 | |
| d1 | dannen helfen | | | | KvH 3 |
| d2 | dannen bringen | WvE 2.3 | | | |
| i1 | hinnen helfen | OvB 3.1 | | | KvH 4 |
| i2 | hinnen bringen | WvE 2.1 | | | |
| | $ : 7 | 4 | | 1 | 2 |

**HG GEBÜSCH/UMFRIEDETER ORT**

| | hac | Mar 2.3 | JvW 2 |
| g | grüener hac | | KvW 14.1 |
| h | garten | | HF 2 |

| | | | | | | | | | |
|---|---|---|---|---|---|---|---|---|---|
| o | ouwe | | | | | WvB | 2 | | |
| w | weg | | | | | | | Wiz | 1.1 |

| $ : 6 | | 1 | | 4 | | 1 |
|---|---|---|---|---|---|---|

**HI   SICH IN EINEM GEBÄUDE AUFHALTEN**

| | | | | | | |
|---|---|---|---|---|---|---|
| a | hie inne sîn | | | HvF | 2 | |
| b | in verlåzen | WvE | 2.1 | | | |
| c | hie låzen | WvE | 2.4 | | | |

| $ : 3 | | 2 | | 1 |
|---|---|---|---|---|

**HM   HEIMLICH**

| | | | | | | | | | |
|---|---|---|---|---|---|---|---|---|---|
| verborgen/tougen- | WvE | 1.1 | Mar | 2.1 | WvB | 2 | N25 | 1 |
| lich/verholne | | 2.3 | | 2.1 | HT | 1 | Ncb | - |
| | | 5.1 | BvH | 1 | JH | 33.1 | JvW | 1 |
| | | | Lüz | 2.1 | | 50.3 | Rub | 2 |
| | | | UvW | 7.1 | KvW | 15.1 | | 6 |
| | | | | 7.1 | HvF | 1 | N26 | 1 |
| | | | | 13.1 | | | | 3 |
| | | | | 27.2 | | | Wiz | 1.1 |
| | | | | 28.1 | | | | 3.1 |
| | | | | 29.1 | | | | 3.2 |
| | | | | 29.1 | | | | 4.- |

| | | | | | | | |
|---|---|---|---|---|---|---|---|
| w | niht kunt werden låzen | | HF | 3 | | |
| z | niht gerne sehen låzen | | | | Ncb | - |

| $ : 33 | | 3 | | 11 | | 7 | | 12 |
|---|---|---|---|---|---|---|---|---|

**HÖ   HÖREN**

| | | | | | | | | |
|---|---|---|---|---|---|---|---|---|
| hören | WvE | 5.3 | UvS | 14.2 | KvW | 14.2 | KvH | 1 |
| | OvB | 13.2 | UvW | 29.2 | | 15.2 | N27 | 3 |
| | | | | 29.3 | HF | 2 | JvW | 2 |
| | | | Lüz | 1.4 | WvR | 2 | | |
| | | | | | WvB | 1 | | |
| | | | | | | 2 | | |
| m | merken | | | | | | N27 | 1 |
| | | | | | | | | 1 |
| v | vernemen | | | | | | Wiz | 3.1 |

| $ : 18 | | 2 | | 4 | | 6 | | 6 |
|---|---|---|---|---|---|---|---|---|

**HR   HORN**

| | | | | | | | | |
|---|---|---|---|---|---|---|---|---|
| | horn | | | HB | 3 | JH | 14.3 | N27 | 1 |
| b | horn blasen | | | | | | | Wiz | 4.- |

| $ : 4 | | | 1 | | 1 | | 2 |
|---|---|---|---|---|---|---|---|

HZ    HERZ

| | | | | | | |
|---|---|---|---|---|---|---|
| d¹ | mîn herze kan<br>niht von dir | WV | 4 | | | |
| d² | herz blîbet | UvW 28.3 | | | Rub | 2 |
| e¹ | herze eigen jehen | | | | Rub | 3 |
| e² | herze hinvueren | UvL 36.7<br>UvW 28.3 | | | Rub | 3 |
| e³ | herze lâzen | UvS 9.5<br>9.5 | | | | |
| l | zwei herzen, ein lîp | WvE 1.2 | | | | |
| o | voget im herzen | UvL 36.7<br>36.7 | | | | |
| s¹ | im herzen wonen | WvE 2.4 | | | Rub | 2 |
| s² | stat geben im dem<br>herzen | | | | Rub | 1 |
| t¹ | bî mir hân ich daz<br>herze dîn, des mînen<br>ich dir vil wol gan | Lüz 1.4 | | | | |
| t² | der herzen wehsel | | | WB | 5 | |
| u | herz kan niht wenken | UvW 7.3 | | | | |
| v | ein vluc ir herzen<br>tet an ein ander dâ | | | WB | 4 | |
| w | gedenken | UvW 27.3 | | | | |

$ : 20        3        10       2       5

---

KE    KEMENATE

| | | |
|---|---|---|
| | in dirre kemenât<br>belîben | UvL 40.3 |

$ : 1                1

---

KL    KLEID

| | | | |
|---|---|---|---|
| a | sî bôt im siniu<br>kleider | | N26 4 |
| e | daz kleit si an<br>ir leit | | N27 2 |

$ : 2                            2

---

KU    KUSS

| | | | | | |
|---|---|---|---|---|---|
| kus | WvE 1.3<br>2.3<br>2.5<br>7.3<br>7.4 | Lüz 1.5<br>UvW 7.1<br>7.2<br>7.3<br>7.3<br>13.2<br>13.3<br>13.3<br>13.3<br>UvS 9.2<br>14.3<br>UvL 36.5<br>40.2 | WvB 3<br>KvW 14.3<br>15.3<br>JH 33.3 | Rub 4<br>4<br>N25 3<br>3<br>4<br>4<br>4<br>4<br>N27 2<br>2 | |

40.7  
Mar 2.3

| $ : 34 | 5 | 15 | 4 | 10 |
|---|---|---|---|---|
| **KW   KURZWEIL** | | | | |
| a   diu wíle in beiden / was niht lang | | | | Wiz 3.2 |
| b   sô kurzen tac er / nie gewan | | UvL 40.5 | | |
| $ : 2 | | 1 | | 1 |
| **LE   VERPFLICHTUNG ERFÜLLEN** | | | | |
| leisten | DvE 2 / WvE 2.1 / OvB 3.2 / 3.2 | UvS 9.5 | | KvH 1 |
| $ : 6 | 4 | 1 | | 1 |
| **LG   LIEGEN** | | | | |
| ligen | OvB 13.1 / WV 7 | | JH 50.3 / HT 1 | Wiz 1.1 / Rub 4 |
| a   an arme (ligen) | WvE 1.1 / 2.4 / WV 1 | UvW 13.2 / 27.1 / 29.3 | | KvH 2 / Wiz 1.2 / 4.- |
| b   bí ligen | WV 3 | Mar 2.2 | KvW 14.1 / JH 34.1 | Rub 1 / Wiz 3.1 |
| b1  nâhe bí ligen | | UvW 28.2 | HT 3 | |
| b2  ezn wart sô nâhe nie gelegen,des noch diu minne hât den prís : obe der sunnen drí mit blicke waeren,sin möhten zwischen si geliuhten | WvE 7.3 | | | |
| c   hie geligen | OvB 3.1 | UvL 40.1 / UvW 13.1 | | |
| d   dicke bí ein ander ligen | OvB 13.1 | | | |
| e   zuo schoenem líbe ligen | | UvS 9.1 | | |
| g   geselleclíche ligen | WvE 1.3 | | | |
| h   tougenlíche etc. ligen | WvE 1.1 | Lüz 2.1 / Mar 2.1 / UvW 7.1 / 13.1 / 28.1 | JH 33.1 / HT 1 | N25 1 / N26 1 / 3 / Wiz 3.2 / 4.- |
| l   minneclíche ligen | | UvW 29.2 | | |
| 11  lieplích ligen | | | | |
| 12  an liebes herze ligen | | | JH 33.1 / KvW 14.1 | KvH 2 |
| 13  vriuntlich ligen | WV 1 | | | |
| n   nâhe ligen | WV 7 | | KvW 15.1 / 15.2 / 15.3 | |

| | | | | | |
|---|---|---|---|---|---|
| o | ligen als man sol | UvW 13.3 | | | |
| p | in minnen paradîse | UvL 36.5 | | | |
| | ligen | | | | |
| s | bî liebe slafen | LvS f | | | Wiz 4.- |
| t | betwungen ligen | | KvW 14.1 | | |
| x | dem gelîch ligen wie | UvW 7.2 | | | |
| | in der naht | | | | |
| y | eht eine wîle ligen | WV 5 | | | |

| | | | | | |
|---|---|---|---|---|---|
| $ : 59 | | 14 | 18 | 13 | 14 |

**LH LICHT**

| | | | | | |
|---|---|---|---|---|---|
| g | grâwez lieht | OvB 13.2 | BvH 2 | | |
| q | glesten | | | HF 2 | |

| | | | | |
|---|---|---|---|---|
| $ : 3 | | 1 | 1 | 1 |

**LI LIEBE**

| | | | | | |
|---|---|---|---|---|---|
| | liebe | WvE 1.3 | Mar 3.1 | JH 34.1 | N25 4 |
| | | WV 7 | UvS 9.3 | KvW 14.1 | 2 |
| | | OvB 3.2 | 9.5 | WvR 2 | Ncb - |
| | | 3.3 | 14.3 | WvB 2 | Wiz 1.3 |
| | | | | | 2.2 |
| | | | | | N27 3 |
| m | minne | WvE 2.4 | UvL 36.7 | JH 14.3 | Wiz 2.1 |
| | | 5.1 | UvS 14.1 | HT 1 | N27 3 |
| | | | 14.2 | KvW 15.1 | |
| | | | 14.4 | 15.1 | |
| | | | UvW 28.1 | WB 3 | |
| | | | | WvB 1 | |
| p | minne/liebe pflegen | WvE 1.3 | UvW 28.1 | HT 3 | N25 4 |
| | | 5.2 | | JH 34.3 | |
| h | tougen minne/liebe | WvE 2.3 | | | |
| | | 5.1 | Mar 2.1 | KvW 15.1 | Ncb - |
| | | | BvH 1 | | Rub 6 |
| | | | UvW 7.1 | | Wiz 1.1 |
| | | | 29.1 | | 3.1 |
| z | der liebe/minne zange | OvB 13.3 | | HF 1 | |
| m1 | enzunt varn ûf der | | | | N27 1 |
| | minnen strâzen | | | | |
| m2 | staete minne | | UvS 14.5 | | |
| m3 | minne gir | | | WB 4 | |
| m4 | minneclîche sîn | | | | N27 2 |
| m5 | minne bringen | WvE 2.4 | | | |
| m6 | minne enphâhen | WvE 2.4 | | | |
| m7 | minne hât an sael- | WvE 7.2 | | | |
| | den teil | | | | |
| m8 | der minne lehen | | | WvB 3 | |
| a | ir muotes al ein sin | | UvS 9.4 | | |
| d | niht ein dorn sîn | | | | Wiz 4.- |
| g | grôze kraft der liebe | WE 2.1 | | | Rub 2 |
| | | | | | 2 |
| n | meinen | | UvW 27.3 | | |
| q | von liebe verhert sîn | WE 1.2 | | | |
| t | triuten | | UvL 40.6 | JH 34.2 | Wiz 3.1 |
| | | | | 50.3 | |

|   |   |   |   | WvR | 2 |   |
|---|---|---|---|---|---|---|
| v | vriuntschaft |   | UvS 14.1 |   |   |   |
| w | der frouwe gruoz |   | Mar 3.2 |   |   |   |

| $ : 74 | 16 | 20 | 19 | 19 |
|---|---|---|---|---|

## LL   LIEBE WIRD ZU LEID

| a | trûren nie sô gar zerstôrte ir froiden funt | WvE 5.3 |   |   |   |
|---|---|---|---|---|---|
| b | wol im der bî liebe leides sich behüeten kan |   |   |   | KvH 3 |
| c | liebe gît dicke leit |   |   | KvW 14.1 |   |
| d | froide ist mir ein slac |   |   | KvW 15.2 |   |
| e | von minne dicke wê werden |   | Mar 3.2 |   |   |
| f | fröide hât mit grozem leit ein ende |   |   |   | Rub 6 |
| g | liep âne leit mac niht gesîn | DvE 2 |   |   |   |
| i | liep mit leide widerwegen |   |   | KvW 14.3 |   |
| j | von minnen jâmer schîn werden |   | Lüz 1.5 |   |   |
| k | nach liebe kumt/ gât dicke leit |   | Lüz 1.5 | JH 34.1 |   |
| m | minne kêret übel daz guot,daz si ze liebe machen tuot |   |   | KvW 14.2 |   |
| p | an minne gelde hât unminne noch bejac |   | Mar 3.3 |   |   |
| q | uz vröuden vrô an jâmers leide |   |   |   | N27 3 |
| r | vroid ein trûren wart |   | BvH 3 |   |   |
| s | ein man von liebes sachen vil grôziu leit beginnet tragen |   | BvH 1 |   |   |
| t | minne kan muot unde sinne teilen,wunden unt heilen |   | Mar 2.3 |   |   |
| u | wunne wirt ze wê |   |   | WB 3 |   |
| v | liebe in leit |   |   | WB 5 |   |
| w | den lieben leide wart |   |   |   | N26 4 |
| x | leit mit liebe tragen |   |   |   | Rub 6 |
| y | daz si dâ heizent minne, deis niewan senede leit | WV 1 |   |   |   |
| z | der minne loene wirt ze grimme |   |   | KvW 15.2 |   |

| $ : 23 | 3 | 7 | 8 | 5 |
|---|---|---|---|---|

| | | B | C | D | E |
|---|---|---|---|---|---|
| **LO** | **BELOHNUNG** | | | | |
| | lônen | WvE 2.2 | | HvF 1 1 3 | |
| g | allez guot getân hân | | HB 2 | WvB 2 3 | |
| m | miete | | | | |
| o | golt geben | | | WvB 2 | KvH 4 |
| | $ : 9 | 1 | 1 | 6 | 1 |
| **LU** | **LÜGEN** | | | | |
| | liegen | | Mar 2.2 | | |
| | $ : 1 | | 1 | | |
| **MD** | **MOND** | | | | |
| a | des mânen schîn | | | | KvH 2 |
| b | mâne klâr noch schînt | | | HF 2 | |
| | $ : 2 | | | 1 | 1 |
| **MH** | **ERHÖHUNG DURCH MINNE** | | | | |
| b | baz werden mit lieben manne | | UvL 40.6 | | |
| e | süezer wehsel ruckt daz herz embor | | UvS 9.4 | | |
| f | für sende sorge spilnde fröide geben | | | | KvH 2 |
| g | waz wir hân ein ander gegeben | | | | Rub 3 |
| h | umbevanc tuot senede herze hôhgemuot | | UvS 9.2 | | |
| i | frouwe tuot rîter sigehaft | | | | N25 3 |
| l | wer zuo schoenem lîbe ligt,ist hôhes muotes | | UvS 9.1 | | |
| r | wie pflac sîn diu süeze?sô daz er wart hôhes muotes rîche | | UvL 40.5 | | |
| s | minne tuot sanfte | | UvW 29.1 | | |
| w | nach werden wîbes lône ringen | | | | Wiz 1.2 |
| | $ : 10 | | 6 | | 4 |
| **MI** | **ENTBEHREN** | | | | |
| | mîden/lâzen/enbern | WV 5 | | KvW 15.3 15.3 | |
| | | | | JH 33.3 34.3 | |
| | $ : 5 | 1 | | 4 | |

## MO  MORGEN

| | | | | | |
|---|---|---|---|---|---|
| | morgen | | UvW 27.3 | KvW 15.2 / 15.3 | N25 3 |
| b | morgenblic | WvE 1.1 | | | |
| c | morgen künden | | UvW 13.2 | | |
| e | morgen wil erwinden | | Lüz 1.3 | | |
| f | vor dem morgen | | | JH 50.2 | |
| g1 | an dem morgen | | UvW 29.1 | | Wiz 2.1 |
| g2 | wider dem morgen | WV 7 | | | |
| k | der morgen kumt | | | | JvW 2 |
| l | der morgen lieht | WV 1 | | WvR 1 | N26 3 |
| r | morgenrôt | | | KvW 14.1 / 15.1 | |
| s | morgenschîn | WV 1 / WvE 7.1 | Mar 2.2 | | |
| ug | der morgen gêt ûf | | | | N27 2 |
| v | der morgen vruo | | | JH 50.2 / WvR 1 | |
| w | der morgen grâ/gris | | | HF 1 | N27 2 |
| $ : 25 | | 5 | 5 | 9 | 6 |

## MR  MERKER/MELDE

| | | | | | |
|---|---|---|---|---|---|
| | merkaere | | HB 1 | WB 3 | |
| d | drô | | Mar 2.1 / BvH 2 | WvR 1 | |
| h1 | vor der argen huote hinkommen | | Mar 2.3 | | |
| h2 | damit valsche huote iht pfances habe | | Mar 2.3 | | |
| h3 | der huote erkennen | | | WB 3 | |
| h4 | die huote triegen | WV 3 | | | |
| m | melde | WvE 5.2 | UvW 27.1 / Mar 3.3 / BvH 2 | | JvW 1 |
| w | gewâr werden | | | JH 34.3 / 50.1 | |
| $ : 16 | | 2 | 8 | 5 | 1 |

## MS  LIEBESSPIEL

| | | | | | |
|---|---|---|---|---|---|
| | minnespil | | UvL 36.6 / 40.6 | HF 3 | |
| a | an armen erwarmen | | | KvW 15.3 | |
| b | minnen balt sîn | | | JH 50.1 | |
| f | der froiden spil | | | JH 33.1 | |
| i | schimpf ergên | WvE 7.3 | | | |
| p | der minne pflegen froidenrîch | | UvW 29.3 | | |
| s | wunnenspil | | UvW 29.3 | | |
| t | den tac mit froiden vertrîben | | UvL 40.3 | | |

| | | | | | |
|---|---|---|---|---|---|
| w | (lieplîcher) wehsel | | UvW 28.3 UvS 9.4 Lüz 1.5 | | |
| | **$ : 13** | 1 | 8 | 4 | |

| | | | | | |
|---|---|---|---|---|---|
| MZ | **MASSHALTEN** | | | | |
| | mâze | OvB 13.1 | UvS 14.1 14.2 Mar 3.2 | KvW 15.1 JH 14.1 33.3 HT 1 HT 1 | N27 1 |
| b | bescheidenheit | | | | |
| | **$ : 10** | 1 | 3 | 5 | 1 |

| | | | | | |
|---|---|---|---|---|---|
| NA | **NACHT** | | | | |
| | naht | OvB 13.2 | UvL 40.6 UvS 9.1 9.2 9.3 9.4 UvW 28.1 | JH 34.3 50.1 | Wiz 4.- |
| a | naht was ez dô/diu naht ist hin ver - stoln/entrinnet flüchtecliche | WvE 2.3 7.1 7.2 OvB 13.2 | Lüz 2.1 2.2 | WvB 1 JH 14.2 HT 1 2 HvF 1 WB 1 WvB 1 | Wiz 3.2 JvW 1 N26 1 |
| g | diu naht muoz abe ir thrône,den sî ze Kriechen hielt | | | | |
| k | diu naht ist kurz gemezzen | WvE 7.1 | | | |
| | **$ : 27** | 6 | 8 | 9 | 4 |

| | | | | | |
|---|---|---|---|---|---|
| NE | **NEBEL** | | | | |
| | nebel | | Mar 2.3 | | |
| d | dinster,vinster nebel dicken | | | HF 1 | |
| | **$ : 2** | | 1 | 1 | |

| | | | | | |
|---|---|---|---|---|---|
| NL | **NICHT LÄNGER (BLEIBEN)** | | | | |
| | niht langer (hie be- stên)/nû niht mê etc. | WvE 1.1 7.1 OvB 3.1 3.1 | UvS 9.5 14.5 Lüz 1.3 HB 1 | | Wiz 1.1 1.3 2.1 N25 1 |
| | **$ : 12** | 4 | 4 | | 4 |

## OT (TEILE DES) GESICHT(ES)

| | | | | | |
|---|---|---|---|---|---|
| m | munt | WvE 7.4 | UvL 36.5 | | |
| m1 | der mündel druck | | | WB 14 | |
| m2 | kuslîcher munt | OvB 13.3 | | | |
| m3 | rôter munt | | Mar 2.3 | KvW 14.2 | Rub 4 |
| | | | UvW 13.3 | WvB 3 | Wiz 2.3 |
| | | | UvL 40.7 | JH 34.2 | |
| m4 | süezer munt | | | | Wiz 1.2 |
| n | kinne | | UvL 36.5 | | |
| o | wange | | UvL 36.5 | | |
| o1 | er druhte ir liehtez wengel an daz sîn | | UvW 7.3 | | |
| o2 | wange klâr | | | WvB 3 | |
| $ : 17 | | 2 | 7 | 5 | 3 |

## PA HAUPTGEBÄUDE DER BURG

| | | | |
|---|---|---|---|
| | palas | OvB 3.3 | KvW 15.1 |
| s | sal | | KvW 15.1 |
| $ : 3 | | 1 | 2 |

## RA RAT

| | | | | | |
|---|---|---|---|---|---|
| | rât | WvE 5.1 | UvL 40.2 | WB 1 | Wiz 2.1 |
| | | OvB 13.1 | Lüz 2.1 | HF 1 | Ncb - |
| | | | | 1 | N25 2 |
| | | | | JH 14.1 | N27 1 |
| | | | | 14.3 | KvH 4 |
| | | | | 33.1 | JvW 1 |
| | | | | 33.3 | |
| l | lêre | WvE 5.1 | UvW 29.1 | | |
| $ : 19 | | 3 | 3 | 7 | 6 |

## RK RÜCKKEHR

| | | | | | |
|---|---|---|---|---|---|
| | nu kum schier wider/ | DvE 3 | UvS 9.5 | WvR 2 | JvW 3 |
| | wenne wilt du wider | WvE 1.2 | UvL 40.7 | 3 | |
| | her zuo mir/ etc. | 5.2 | | HT 3 | |
| | | 7.2 | | 3 | |
| | | 7.4 | | | |
| | | OvB 13.3 | | | |
| | | WV 3 | | | |
| | | 4 | | | |
| | | 4 | | | |
| $ : 16 | | 9 | 2 | 4 | 1 |

## RT WEGGEHEN

| | | | | |
|---|---|---|---|---|
| a | gâhen | WV 2 | | |
| b | der ruowe sich bewegen | | BvH 1 | |
| d1 | dannen müezen | WvE 5.3 | UvL 40.6 | JH 34.2 |

```
                                 7.4
d2 dannen scheiden      WV        7     Lüz   1.5                    Wiz   2.3
                                        UvW   7.3                          2.3
                                                                    N27     3
d3 dannen komen                         Mar   3.3
d4 dannen gên           OvB  13.1
d5 dannen kêren                                       KvW  14.3
e  entwîchen                            UvW  29.2                    N26     1
i  hinnen îlen                                        KvW  14.1
                                                              15.2
i1 hinnen müezen        WvE  2.3                                     N26     2
i2 hinnen scheiden      OvB  3.2        UvW  27.3
i3 hinnen komen         WvE  7.1        UvL  40.2      JH   50.2     Rub     4
i4 hinnen strîchen                      UvW  29.3
i5 hinnen ooln          WV    5
i6 hinnen kêren                         UvW  29.1     KvW  14.1
                                                      HF      1
                                                              1
i7 hinnen gân                           Mar   2.1
i8 hinnen gern          WV    6
i9 hinnen rîten                                                     N26     3
j  balde jagen                                                     Rub     4
j1 verjagen                                                        N26     2
k  kêren                                              HF      3
l  von iemen lâzen                      Lüz   2.3     JH   33.2
r  rîten                DvE    3                      WvB     3     N26     3
                        WvE  7.3
s  sliefen                              Mar   2.3     WB      5
v  hinne vart                           Lüz   2.1     JH   33.3
                                              2.3     HF      1
                                        UvS  14.5             2
                                        HB    1
v1 wol varn             WV    6                       WB      1
v2 varn lâzen                                        JH   14.1     N27     3
v3 varn müezen                                                     N27     3
x  von ir wellen                                                  Rub     4
z  ûz sîn                                            JH   50.3
z1 ûz slîchen                                        JH   50.2
z2 verlâzen                                          JH   50.3
```

---

| $ : 63 | 13 | 17 | 20 | 13 |
|---|---|---|---|---|

---

**RU  RÜHMEN**

```
a  dû bist mîner froi-                   UvL  40.7
   den wunne,mînes her-
   zen spilndiu meien
   sunne,mîn froiden
   geb,mîn saelden wer
b  mîn vröude und mîne                   UvS  14.5
   sinne,mîn lîp,mîn
   leben,mîn saelde gar
c  dîn lîp,klar und      OvB  13.3
   süeze
```

---

| $ : 3 | 1 | 2 |
|---|---|---|

---

| | | | | | |
|---|---|---|---|---|---|
| RZ | **RECHTZEITIG** | | | | |
| | enzît | | BvH 1 | KvW 14.1<br>15.1 | JvW 1 |
| a | ê | | | JH 34.3<br>50.1 | |
| | **$ : 6** | | 1 | 4 | 1 |
| SE | **SEHEN/ERBLICKEN** | | | | |
| | sehen | WvE 2.1<br>7.2<br>WV 1 | UvW 29.2<br>UvS 9.5<br>Mar 2.2<br>2.2<br>Lüz 2.1<br>1.3<br>BvH 2 | WvR 1<br>KvW 15.1<br>HT 1<br>2<br>HF 1<br>1<br>HvF 1<br>2 | Rub 2<br>Ncb f<br>N25 1<br>3<br>N26 3<br>N27 1<br>2<br>JvW 1<br>3 |
| m | erkiesen | WvE 1.1<br>WV 1<br>4 | Mar 3.1 | | N27 2 |
| | **$ : 32** | 6 | 8 | 8 | 10 |
| SG | **SEGENSWUNSCH** | | | | |
| a | segen werden | | UvS 14.4 | | |
| b | segen geben | | | | N26 1 |
| d | des himmels segen<br>sî dîn dach | | BvH 3 | | |
| g1 | got bevolhen sîn | | | | Wiz 2.3 |
| g2 | got behüet in | | Lüz 1.4 | | Wiz 2.3 |
| g3 | got gebe heil | | | | JvW 3 |
| g4 | got mêre dîne saelde | | | | N26 4 |
| g5 | got bewâre | WV 6 | | JH 33.3 | |
| h | hulde | | UvS 14.5 | | |
| m | morgensegen geben | | UvW 13.1 | KvW 14.3 | |
| s | segen nâch senden | | | | Wiz 2.3 |
| t | dîn wîplich güete<br>sî mîn segen | | UvL 36.7 | | |
| w | gehab dich wol | | UvW 28.3 | | |
| | **$ : 16** | 1 | 7 | 2 | 6 |
| SH | **SICH IN ACHT NEHMEN** | | | | |
| | sich hüeten | WvE 5.1<br>5.2<br>OvB 3.2 | UvW 7.1 | HF 1 | |
| v | kume ich zer wer,ez<br>muoz sîn lîp erarnen,<br>der mich mit strîte<br>niht verbirt | | UvL 40.4 | | |
| | **$ : 6** | 3 | 2 | 1 | |

## SI SINGEN

**singen**

| | | | |
|---|---|---|---|
| WvE 1.1 | UvW 7.1 | JH 14.1 | Wiz 2.1 |
| 2.2 | 27.1 | 33.1 | 3.1 |
| 2.4 | 28.1 | 33.1 | 3.2 |
| 2.5 | 29.1 | 34.1 | N26 2 |
| 5.1 | 29.2 | 50.3 | 2 |
| 5.2 | Lüz 1.3 | HT 1 | N27 1 |
| OvB 3.1 | HB 2 | HF 1 | 1 |
| 3.2 | 3 | 2 | LvS f |
| 3.2 | | HvF 1 | KvH 1 |
| 3.3 | | 1 | 3 |
| 3.3 | | WvB 1 | JvW 2 |
| 13.1 | | WB 1 | |
| 13.2 | | | |

| | | | | |
|---|---|---|---|---|
| d | dôn/doenen | WvE 2.5 | Mar 2.1 | KvW 15.1 |
| l | lûte sin.en | | | WB 3 |
| s | schal | WvE 2.4 | | N25 3 |
| u | klagesingen | | | WB 2 |

| $ : 51 | 15 | 9 | 15 | 12 |
|---|---|---|---|---|

## SL SCHLAFEN

**slåfen**

| | | | |
|---|---|---|---|
| DvE 1 | UvW 13.2 | JH 34.2 | JvW 2 |
| 2 | 29.2 | HF 1 | N25 1 |
| WvE 7.2 | 29.3 | | N27 1 |
| OvB 3.3 | Mar 3.1 | | Wiz 1.2 |
| | 3.3 | | 1.3 |
| | Lüz 1.3 | | 2.1 |
| | HB 1 | | 2.2 |
| | 2 | | |
| | 2 | | |
| | 2 | | |

| a | vermüedet sîn | | Mar 3.3 | |
|---|---|---|---|---|

| $ : 24 | 4 | 11 | 2 | 7 |
|---|---|---|---|---|

## SN SCHNELL

**balde**

| | | | |
|---|---|---|---|
| WvE 2.3 | UvW 27.1 | WvR 3 | Wiz 3.1 |
| 7.2 | | KvW 14.1 | N26 1 |
| | | 14.1 | JvW 2 |
| | | HT 3 | 3 |
| | | HF 3 | |
| | | HvF 1 | |

| | | | | |
|---|---|---|---|---|
| a | snel | WvE 7.2 | | |
| g | gåch | | | KvW 15.1 |
| | | | | JH 34.3 |
| l | lingen låzen | | UvW 29.2 | |
| r | ringe | | UvW 27.1 | |
| s | schiere | DvE 1 | UvS 9.5 | JH 33.2 |
| | | WvE 7.4 | UvL 40.7 | 14.1 |
| | | | Mar 2.1 | |
| t | åne sûmen | WvE 2.3 | UvS 14.1 | |
| u | kurze zît | WV 3 | | |
| v | niht ensparn | | | JH 14.2 |

| $ : 29 | 7 | 7 | 11 | 4 |
|---|---|---|---|---|

**SO    SORGE/BESORGNIS**

| sorge | WvE 1.2 | UvW 13.1 | JH 14.1 | LvS f |
|---|---|---|---|---|
| | 1.3 | 27.3 | 50.1 | N25 1 |
| | 2.1 | Mar 2.1 | 50.1 | 2 |
| | 5.3 | Lüz 2.2 | KvW 14.2 | Wiz 2.1 |
| | 7.1 | | 14.3 | 2.2 |
| | 7.4 | | 15.3 | KvH 2 |
| | | | WB 1 | |
| | | | WvR 2 | |
| | | | 3 | |

| w  swaere | | | | LvS f |
|---|---|---|---|---|

| $ : 26 | 6 | 4 | 9 | 7 |
|---|---|---|---|---|

**SP    SPRECHEN**

| sprechen | WvE 1.1 | UvL 36.5 | WvR 3 | Wiz 1.2 |
|---|---|---|---|---|
| | 1.2 | 40.1 | 2 | 2.2 |
| | 5.3 | UvS 14.2 | KvW 14.2 | Rub 1 |
| | 7.2 | Mar 2.1 | 15.3 | 2 |
| | 7.4 | 2.2 | JH 33.2 | N25 1 |
| | WV 1 | 2.3 | HT 2 | N27 1 |
| | 2 | Lüz 1.4 | HF 1 | 3 |
| | 3 | 2.2 | 2 | LvS f |
| | OvB 3.3 | HB 3 | | JvW 1 |
| | | UvW 7.2 | | 2 |
| | | 7.3 | | 2 |
| | | 13.2 | | |
| | | 13.3 | | |
| | | 27.2 | | |
| | | 27.2 | | |
| | | 27.3 | | |
| | | 28.3 | | |
| | | 28.3 | | |
| | | 29.2 | | |
| | | 29.3 | | |

| b  bescheiden | OvB 3.3 | | | |
|---|---|---|---|---|
| c  künden | WvE 7.1 | Mar 2.1 | JH 34.2 | N25 3 |
| | | | WvR 3 | N27 1 |
| | | | | Rub 1 |
| j  jehen | | UvW 29.2 | | |
| m  maere bringen | WvE 2.2 | Lüz 1.4 | | KvH 1 |
| | 2.2 | | | |
| r  ruofen | | Mar 2.3 | KvW 14.1 | N25 1 |
| | | | 15.1 | 2 |
| x  reden | | | | Wiz 2.3 |

| $ : 67 | 13 | 24 | 12 | 18 |
|---|---|---|---|---|

**ST    STERN(E)**

| a  gesterne | | | HF 2 | |
|---|---|---|---|---|
| g  sterne glesten | | Mar 2.2 | HF 2 | |
| j  mars,saturnus,jôvis, venus,die planeten | | | HF 2 | |
| l  liuhten | | | HF 3 | N27 1 |
| | | | HvF 1 | |

| | | | | | | | | | | |
|---|---|---|---|---|---|---|---|---|---|---|
| m | morgenstern | WV | 2 | Mar | 2.1 | | | | | |
| | | | | | 3.1 | | | | | |
| m1 | morgenstern brichet | | | | | | | | Ncb | f |
| m2 | morgenstern glestet | | | | | KvW | 15.1 | | | |
| m3 | morgenstern liuhtet | | | Lüz | 1.3 | | | | | |
| m4 | morgenstern gê/ brichet ûf | WvE | 2.4 | Lüz | 1.3 | | | | JvW | 3 |

| $ : 16 | 2 | 5 | 6 | 3 |
|---|---|---|---|---|

**SW**    VERSICHERN/BEEIDEN

| | | | | | | |
|---|---|---|---|---|---|---|
| eit (sworn) | | | WvR | 3 | Rub | 5 |
| | | | HT | 3 | | |

| $ : 3 | 2 | 1 |
|---|---|---|

**TA**    TAL

| | | |
|---|---|---|
| tal | N27 | 1 |

| $ : 1 | 1 |
|---|---|

**TD**    VORZÜGLICHKEIT

| | | | | | | | |
|---|---|---|---|---|---|---|---|
| | tugent | WvE | 2.1 | | | Wiz | 1.1 |
| l | tugentlîch | | | | | Ncb | f |
| s | âne sünde | | | UvW | 29.2 | | |
| w | tugent unde werdekeit | | | | | Rub | 5 |
| z | zuht,manheit,milte | | | | | Win | f |

| $ : 6 | 1 | 1 | 4 |
|---|---|---|---|

**TG**    TAG

| | | | | | | | | | |
|---|---|---|---|---|---|---|---|---|---|
| tac | WvE | 1.1 | HB | 2 | HT | 1 | Wiz | 1.3 |
| | | 7.3 | UvL | 36.6 | | 2 | | 1.3 |
| | WV | 1 | UvS | 9.1 | | 2 | | 2.2 |
| | | 4 | | 9.5 | HF | 1 | | 2.2 |
| | OvB | 3.2 | | 9.5 | JH | 50.2 | | 2.2 |
| | | 13.2 | UvW | 28.3 | KvW | 14.3 | | 3.2 |
| | | 13.3 | | | | 14.3 | JvW | 1 |
| | | | | | | 15.2 | | 1 |
| | | | | | | 15.2 | | 2 |
| | | | | | | 15.2 | | 3 |
| | | | | | | 15.2 | | 3 |
| | | | | | | | N25 | 4 |
| | | | | | | | N27 | 2 |
| | | | | | | | | 2 |
| | | | | | | | | 2 |
| | | | | | | | LvS | f |

TG    ff.

| | | | | |
|---|---|---|---|---|
| a  tac ist komen | | UvW 29.2 | | Wiz 2.2 |
| a1 des tages künfte | | | HT 2 | |
| b  betagen | OvB 13.3 | UvS 9.3 | WB 3 | |
| | | HB 3 | | |
| c  den tac künden | | | JH 14.3 | JvW 3 |
| | | | | N26 3 |
| | | | | N27 1 |
| c1 den tac vermelden | | | KvW 15.1 | |
| d1 der tac tet blicke durh diu glas | WvE 2.5 | | | |
| d2 der tac dringt durh diu venster | WvE 1.2 | | | |
| d3 tac durh wolken dringt | WvE 5.2 | | | |
| d4 man siht tac durh nebel blicken | | | HF 1 | |
| e  tac wil niht erwinden | WvE 7.2 | Lüz 1.3 | HT 2 | N25 3 |
| | | | JH 33.1 | |
| f  tac wil gerichen | | | | JvW 1 |
| g  gen dem tage | OvB 3.3 | | | LvS f |
| | | | | JvW 1 |
| | | | | Rub 4 |
| | | | | Wiz 3.1 |
| g1 an dem tage | | HB 3 | | N27 1 |
| | | UvW 28.1 | | |
| g2 gen dem tage gesten | | Lüz 2.1 | | |
| g3 ez beginnt gegen dem tage stellen sich | | | JH 50.2 | |
| g4 morgens gein dem tage | WvE 2.2 | | | |
| g5 ûf den tac | | | KvW 15.1 | |
| g6 tac wil thrôn besitzen | | | WvB 1 | |
| g7 der tac tribet ab ir vesten die naht | | | WvB 1 | |
| h  des himels spêren sich nû kêren | | | HF 2 | |
| i  ez ist tac | WvE 2.3 | UvS 14.5 | WvR 1 | Rub 1 |
| | 7.1 | UvL 36.5 | | Win f |
| | | Mar 3.3 | | Wiz 2.1 |
| | | 2.2 | | 4.- |
| | | Lüz 1.4 | | |
| j  ôsterhalben/von Kriechen hergân | | | | N25 3 |
| | | | | N26 1 |
| k  sîne klâwen durh die wolken sint geslagen | WvE 2.1 | | | |
| l  liehter tac | WvE 2.4 | Mar 2.3 | HF 2 | LvS f |
| | | UvW 13.2 | | N25 1 |
| | | 27.1 | | N27 1 |
| | | | | 2 |
| l1 liehten tages zît | | | | N27 1 |
| l2 der tac liuhtet | | | | Wiz 1.1 |
| m  der tac die wolken spielt | | Mar 3.2 | | |
| n  der tac wil nâhen | | Mar 2.1 | WvB 2 | |
| | | BvH 2 | | |
| | | UvW 27.1 | | |
| n1 der tac wil gâhen | | UvW 7.2 | | |
| o  ein tac ein jâr sîn | | UvS 14.5 | | |
| p  der tac wil sigen | | | | N26 1 |
| q  tagender glast | WvE 5.2 | | | |

TG    ff.

| | | | | | |
|---|---|---|---|---|---|
| q1 | der sunne glesten | | | | N27  2 |
| q2 | des tages glesten | | | WvB  1 | |
| q3 | tac glestet durh die wolken | | Lüz  2.1 | | |
| r | der tac mit siner roete | | | WvB  1 | N27  1 |
| s | des tages schin | WvE  1.3 | | HF  1 / 2 / 3 | Wiz  1.1 |
| s1 | des tages glanzen schin | | | KvW  15.2 | |
| t | ez tagt | WvE  2.1 / 5.3  OvB  3.3 | BvH  1  UvL  36.6 / 40.1  UvW  28.1 | JH  33.3  HF  1  HvF  2 | Wiz  2.2 |
| t1 | ez tagt unmazen | | | WvB  1 | |
| t2 | ez wil tagen | | Mar  2.1 | JH  34.1 | |
| u | uf stigen | | UvW  27.1 | | |
| u1 | mit grozer kraft uf stigen | WvE  2.1 | | | |
| u2 | uf brechen | OvB  13.2 | BvH  3 | | N25  3 |
| u3 | uf dringen | | | HT  1  KvW  15.2 | JvW  1 |
| u4 | uf gen | | UvL  40.1  UvW  14.1 | HvF  1  JH  14.1  WB  1 | |
| u5 | uf sin | | Mar  2.1  UvL  40.2 | | |
| u6 | zuo schriten | | | WB  5 | |
| u7 | zuo slichen | | | | Rub  5 |
| v | vor dem tage sin | | | JH  34.1 | |
| v1 | ez ist vor dem tage niht einen vuoz | | Mar  3.2 | | |
| w | grawer tac | WvE  2.1 / 7.2 | Mar  2.2 | HF  1 | |
| x | des tages zit | | | | KvH  2 |
| z | tac ist ze fruo | | | JH  33.2 | |
| $ : 163 | | 27 | 41 | 46 | 49 |

TI    MYTHOLOGISCH/LITERARISCHE ANSPIELUNG

| | | | | |
|---|---|---|---|---|
| h | Hector und Dido | | | N27  3 |
| o | Troie wart zerstoeret | Mar  3.2 | | N27  3 |
| t | Tristan und Isolde | Mar  3.2 | | N27  3 |
| $ :   4 | | 2 | | 2 |

TL    TAGELIED

| | | | | |
|---|---|---|---|---|
| | tageliet | WV  6 / 7 | Mar  3.2 | |
| d | tages dones ruof | | | HF  2 |
| m | morgensanc | | | N26  2 |

| | | | | | | | | |
|---|---|---|---|---|---|---|---|---|
| s | wîse | | | | | HF | 2 | |
| w | tagewîse | WvE | 5.1 | | | | | |

| $ : 7 | | 3 | | 1 | | 2 | | 1 |
|---|---|---|---|---|---|---|---|---|

**TR  SCHEIDEN**

| | scheiden | WvE | 5.2 | UvW | 7.1 | KvW | 14.1 | Wiz | 1.3 |
|---|---|---|---|---|---|---|---|---|---|
| | | | 7.1 | | 7.1 | | 14.2 | | 2.1 |
| | | | 7.2 | | 27.2 | | 15.1 | | 3.1 |
| | | WV | 1 | | 28.1 | | 15.1 | | 3.2 |
| | | | 2 | | 28.3 | | 15.3 | | 3.2 |
| | | | 6 | | 29.1 | WvR | 3 | Win | – |
| | | OvB | 3.2 | UvS | 9.5 | WvB | 1 | Rub | 5 |
| | | | 3.3 | | 14.4 | WB | 5 | | 6 |
| | | | 13.1 | UvL | 36.6 | | 5 | JvW | 1 |
| | | | 13.1 | Mar | 2.3 | JH | 14.1 | | 1 |
| | | | 13.1 | | 2.3 | | 33.3 | | 3 |
| | | | 13.2 | Lüz | 1.4 | | 34.1 | KvH | 1 |
| | | | | | 2.2 | | 34.2 | N25 | 2 |
| | | | | BvH | 1 | | 34.3 | N26 | 2 |
| | | | | | | | 34.3 | | 4 |
| | | | | | | | 50.1 | N27 | 3 |
| | | | | | | | 50.3 | | 3 |
| | | | | | | HT | 1 | | |
| | | | | | | | 3 | | |
| | | | | | | | 3 | | |
| | | | | | | HF | 1 | | |
| | | | | | | | 2 | | |
| | | | | | | | 3 | | |
| | | | | | | | 3 | | |
| b | lieb von liebe bringen | | | | | JH | 14.1 | KvH | 1 |
| m | vermîden | | | | | KvH | 15.2 | | |
| | | | | | | | 15.3 | | |
| s | gâch von minnen sîn | | | | | KvW | 15.1 | | |
| t | twinge ab | | | UvS | 14.1 | HT | 1 | | |
| v | vertrîben | | | UvS | 9.1 | | | | |
| | | | | | 9.2 | | | | |
| | | | | | 9.3 | | | | |
| | | | | | 9.4 | | | | |

| $ : 79 | | 12 | | 20 | | 29 | | 18 |
|---|---|---|---|---|---|---|---|---|

**TT  TROST**

| | trôst | | | UvS | 14.4 | HT | 2 | N25 | 3 |
|---|---|---|---|---|---|---|---|---|---|
| | | | | | 14.4 | KvW | 14.2 | | |
| i | troesterin | | | UvW | 7.3 | | | | |

| $ : 6 | | | | 3 | | 2 | | 1 |
|---|---|---|---|---|---|---|---|---|

**TW  TREUE**

| | triuwe | WvE | 1.2 | BvH | 3 | KvW | 15.2 | Rub | 1 |
|---|---|---|---|---|---|---|---|---|---|
| | | | 2.2 | HB | 3 | | | N25 | 2 |
| | | | 2.3 | Lüz | 2.1 | | | JvW | 2 |

```
                    5.2     UvS  9.5              KvH    1
                    7.4          14.4                    4
              WV    4     UvW 27.3
                    7
              OvB 3.2
              13.1

b  niht enwenken          UvS 14.5
g  Triuwe gebietet        UvW  7.3
s  Triuwe ist staete      UvW  7.3
v  niht vergessen   WvE 2.5
```

| $ : 25 | 10 | 9 | 1 | 5 |
|---|---|---|---|---|

UA  UMARMUNG

```
b  druck an brust     OvB 13.3              JH  34.2
   brüsteldruck       WvE  2.3
                           2.5
                           5.3
                           7.3
e  vereinen                                 HT   3
f  sich mit luste halten                               N27   3
h  in armen...lâ dir                        HF   2
   wol sîn
r  unfrömdez rucken   WvE  5.3
s  smucken            WvE  5.3  UvW 27.2     WB   4
                                    28.2
t  (an sich) twingen  WvE  1.2  UvW 28.2     KvW 14.3   Wiz  4.-
                           2.5                   15.3
                                                 15.3
                                             WB   4
                                             HF   1
u  umbevangen         OvB 13.3  BvH  2       WvB  2     N25   4
                                UvW  7.2          3           4
                                     27.2    JH  50.1   N27   3
                                             HF   1
                                             HvF  3
u1 zu im gevangen               Lüz  2.3               Rub   3
                                                       KvH   2
u2 gesellecliche                UvS  9.2
   umbevangen
u3 nâher umbevanc               UvW  7.1     JH  14.1
u4 minneclicher                 UvW  7.2
   umbevanc
u5 süezer umbevanc                           WB   4
                                             JH  34.2
u6 mit herzeclîchem             UvW 28.2
   druck
u7 vaste umbevangen   WvE  7.2
u8 mit armen umbevangen         UvW  7.2               Win   f
                                    28.2
                                Lüz  1.5
                                UvS  9.2
u9 mit armen umbesliezen        UvL 36.7               N26   3
v1 sus kunden si dô vleh- WvE1.3
   ten ir munde,ir brüste,
   ir arme,ir blankiu bein
v2 mit armen und bein ge-       UvL 36.6
   vlohten ligen
w  umbesweifen                  Mar  3.3
x  ir arme wenden an                         WvR  2
```

| | | | | |
|---|---|---|---|---|
| y | ir liehten vel kö-<br>men näher | WvE 1.3 | | |

| $ : 58 | 13 | 18 | 18 | 9 |
|---|---|---|---|---|
| UG   LEID | | | | |
| leit | WvE  7.1<br>DvE  1<br>WV    1 | Mar  2.3<br>Lüz  2.2<br>UvL 36.6<br>UvS  9.3<br>UvW 29.3<br>Lüz  2.3 | HF    1<br>      3<br>HT    2<br>JH  33.1<br>    33.1<br>    33.3<br>    34.2<br>    50.2<br>KvW 14.3<br>    15.2<br>WB   2<br>WvR  3 | Wiz 2.1<br>    2.2<br>    2.3<br>    2.3<br>Rub  1<br>N25  2<br>     2<br>     4<br>KvH  4 |
| (herzeleit) | | | | JvW  3<br>N25  4<br>Win  f |
| a  ze herze gên<br>b  bitter dunken | | UvS 14.2<br>Mar  2.2<br>UvW 28.3<br>UvS 14.3<br>Lüz  1.5 | | |
| d  ungemach<br>f1 unvrô | WvE  7.2 | UvW 28.3<br>BvH  2<br>Mar  2.2 | HT    2<br>JH  34.2 | Wiz 1.2<br>JvW  3<br>Rub  5<br>     6 |
| f2 ungern | | Mar  2.2<br>     2.2 | | |
| g  ungedult<br>h  unheil | | | JH  14.2 | N25  2 |
| i  riuwe | WvE  5.2 | UvW 29.2<br>Lüz  1.4 | JH  33.1 | N27  3 |
| j1 jâmer | | UvL 40.6 | KvW 14.2<br>    15.3 | N25  3<br>N26  4 |
| j2 jâmerwunde<br>j3 jâmer...der ûz ir<br>    herzen kêrte | | | WB   2<br>KvW 15.2 | N27  2 |
| j4 jâmers vluot<br>k1 klage | WvE  2.2<br>     5.3<br>     7.3<br>     7.4<br>WV   5<br>OvB  3.3<br>    13.3<br>    13.3 | UvW 28.1<br>UvS  9.3<br>Lüz  2.2<br>BvH  1 | JH  33.1<br>WB   3 | N27  3<br>Wiz 3.1<br>    3.2<br>N26  2<br>LvS  f<br>KvH  3 |
| k2 herzensklage<br>k3 unsaeliger lîp<br>m1 trüeber muot<br>m2 muot beswaeren | WV   2<br>     7 | | HT    2 | Rub  4<br>Wiz 3.2 |
| m3 ungemüete<br>n  sende nôt<br>p  pîn<br>q  wunt<br>r1 sêren | | UvS  9.2<br><br>Mar  2.3<br><br>UvW 29.3 | JH  33.3<br>KvW 15.3<br>HF    1<br>KvW 15.2 | N25  4 |

| | | | | | | | |
|---|---|---|---|---|---|---|---|
| r2 | herzesêre | | | Lüz | 2.3 | | |
| s | unsanfte tuon | | | HB | 2 | KvW 14.2 | |
| t | trûren | WV | 2 | Mar | 2.1 | HF 3 | Rub 6 |
| | | | | BvH | 3 | KvW 14.2 | 6 |
| | | | | | | 14.3 | N26 2 |
| | | | | | | 14.3 | |
| | | | | | | 15.2 | |
| u | kumber | WvE | 7.1 | | | KvW 15.2 | |
| w1 | (ð)wê | WvE | 1.1 | UvW | 7.2 | HT 2 | KvH 4 |
| | | | 7.1 | | 7.2 | JH 14.3 | N25 4 |
| | | WV | 3 | | 13.2 | 33.3 | Rub 4 |
| | | | 4 | | 27.2 | KvW 15.2 | Wiz 1.3 |
| | | | 6 | | 27.3 | | |
| | | OvB | 13.2 | | 28.3 | | |
| | | | | UvS | 14.1 | | |
| | | | | UvL | 36.6 | | |
| | | | | BvH | 2 | | |
| w2 | herzenswê | | | | | | KvH 4 |
| x1 | siufteberend | | | UvW | 28.2 | | |
| x2 | siuften | | | UvL | 40.2 | | |
| y | swaere | WV | 3 | | | | |
| z1 | smerz | | | | | KvW 15.3 | N25 2 |
| z2 | unverheilet smerze | | | UvS | 14.3 | | |
| z3 | seneder smerz | | | UvS | 14.2 | KvW 15.3 | |
| $ : | 147 | 24 | | 44 | | 40 | 39 |

| | | | | | | | |
|---|---|---|---|---|---|---|---|
| UL | ERLAUBNIS ZU GEHEN | | | | | | |
| | urloup | WvE | 2.5 | | | | |
| | | WV | 6 | | | | |
| g1 | urloup geben | WvE | 2.3 | | | JH 34.3 | |
| g2 | urloup geben,des prîs was hoch | WvE | 5.3 | | | | |
| n | urloup nemen | WvE | 1.3 | Lüz | 1.5 | HF 1 | JvW 1 |
| | | | 7.3 | UvL | 40.7 | | |
| $ : | 11 | 6 | | 2 | | 2 | 1 |

| | | | | | | | |
|---|---|---|---|---|---|---|---|
| VB | VERBERGEN | | | | | | |
| | verbergen | OvB | 13.2 | UvL | 40.2 | | N25 4 |
| | | | | | 40.4 | | |
| h | verholn | | | UvL | 40.3 | | |
| o | in ougen verbergen | WvE | 7.1 | UvL | 40.3 | | |
| r | verspart und wol bewart | | | UvL | 40.5 | | |
| s | slôze besliezen | WvE | 1.2 | | | | |
| t | zum diebe werden | | | | | HvF 3 | |
| $ : | 10 | 3 | | 5 | | 1 | 1 |

| VM | DIE (FRAU) MINNE | | | | | | | |
|---|---|---|---|---|---|---|---|---|
| | (vrou)minne | | | UvW | 29.3 | | | |
| | | | | Mar | 2.3 | | | |
| | | | | | 3.3 | | | |
| | | | | | 3.3 | | | |
| | | | | | 3.3 | | | |
| | **$ : 5** | | | **5** | | | | |

| VO | VOGEL | | | | | | | | | |
|---|---|---|---|---|---|---|---|---|---|---|
| a | singen | OvB | 3.1 | Mar | 3.1 | HF | 2 | JvW | 1 |
| | | | 3.2 | | 2.2 | KvW | 14.1 | N27 | 1 |
| | | | 3.3 | | 2.1 | WvR | 1 | | |
| b | schrîen | | | Mar | 2.1 | HF | 1 | | |
| f | fröiwen | OvB | 3.3 | | | | | | |
| h | hân | | | | | HF | 2 | | |
| n | nachtegall | | | | | KvW | 15.1 | | |
| o | an das zwî gên | DvE | 1 | Mar | 2.1 | | | | |
| | | | | | 2.2 | | | | |
| p | im hac sîn | | | | | | | JvW | 2 |
| | **$ : 20** | **5** | | **6** | | **6** | | **3** | |

| WA | BEWACHEN | | | | | | | | | |
|---|---|---|---|---|---|---|---|---|---|---|
| | bewachen | OvB | 3.2 | HB | 1 | HvF | 2 | | |
| | | | | | 1 | | | | |
| | | | | | 2 | | | | |
| b | behüeten | OvB | 3.2 | | | JH | 14.1 | | |
| | | | 13.1 | | | | 50.1 | | |
| | | | 13.1 | | | | | | |
| h | an die huote gên | | | | | WB | 1 | Ncb | - |
| | (huote ausführen) | | | | | | | KvH | 4 |
| p | pflegen | | | | | JH | 50.2 | Wiz | 2.1 |
| | | | | | | | | N25 | 1 |
| w | bewarn | | | | | WB | 1 | | |
| | | | | | | JH | 14.2 | | |
| | **$ : 18** | **4** | | **3** | | **7** | | **4** | |

| WE | WEINEN | | | | | | | | | |
|---|---|---|---|---|---|---|---|---|---|---|
| | weinen | DvE | 3 | | | JH | 14.2 | Rub | 4 |
| | | WV | 7 | | | | 33.3 | N26 | 1 |
| | | | | | | WB | 1 | | |
| | | | | | | WvR | 3 | | |
| | | | | | | | 3 | | |
| b1 | ein bach ir ougen | | | | | | | N27 | 2 |
| | rert | | | | | | | | |
| b2 | brust mit trehen | | | UvW | 7.3 | | | | |
| | berern | | | | | | | | |
| g | ir weinen in begoz | | | | | | | N26 | 3 |
| n | liehte ougen nazzen | WvE | 1.1 | | | | | | |
| | | | 7.4 | | | | | | |
| o | ir ougen beguzzen | WvE | 1.2 | | | | | | |
| | beider wang | | | | | WB | 2 | | |
| o2 | ir ougen wurden rôt | | | UvW | 7.3 | | | | |

| | | | | |
|---|---|---|---|---|
| t1 trêne | | | WB 2 | |
| t2 trêne fallen ûf | | UvL 36.5 | | |
|     die wangen | | | | |
| t3 trêne rern | | UvW 29.3 | | |
| t4 trêne zerswief | | | JH 33.2 | |
| u ougen überwallen | | UvL 36.5 | | |
| w1 weinendiu ougen | WvE 1.3 | | | |
| w2 ir ougen...weinden | | | | Rub 6 |
| w3 trehendiu ougen | | UvW 27.2 | | |

$ : 25      6      6      8      5

**WK WECKEN**

| | | | | |
|---|---|---|---|---|
| wecken | DvE 1 | UvW 7.2 | WvR 2 | Wiz 1.2 |
| | OvB 3.2 | 13.1 | JH 33.1 | 2.1 |
| | | UvS 14.2 | 34.1 | 3.1 |
| | | Mar 3.3 | 34.2 | JvW 2 |
| | | HB 1 | HF 1 | 3 |
| | | 1 | | |
| | | 1 | | |
| | | 2 | | |
| | | 3 | | |
| | | 3 | | |
| | | 3 | | |
| | | 3 | | |
| | | BvH 2 | | |

$ : 15      2      13      5      5

**WO WOLKEN**

| | | | | |
|---|---|---|---|---|
| wolken | WvE 5.2 | Mar 3.2 | | |
| | 2.1 | | | |
| | WV 1 | | | |
| v sich verwen | | Mar 3.1 | | |
| w1 graw | | | | JvW 1 |
| w2 grîs | | Mar 3.1 | | |
| | | 2.2 | | |

$ : 8      3      4      1

**WR WARNUNG**

| | | | | |
|---|---|---|---|---|
| warnen | WvE 2.5 | Lüz 1.3 | JH 14.1 | LvS - |
| | | Mar 2.1 | 14.3 | N25 1 |
| | | 3.1 | 50.2 | 2 |
| | | UvL 40.4 | 50.3 | N27 1 |
| | | UvW 7.1 | KvW 15.1 | Wiz 1.1 |
| | | 7.1 | WvB 3 | 2.1 |
| | | 7.1 | | |
| | | 29.1 | | |
| m1 manen | | | WB 1 | |
| m2 unwaegsten bedenken | | | JH 33.3 | |
| s warnsang | | UvW 27.1 | | |
| w wâfen rufen | DvE 2 | | | |

$ : 25      2      9      8      6

WU    WUNSCH

| | | | | |
|---|---|---|---|---|
| b | daz ich noch bî dir | OvB 13.3 | | |
| | betagen müeze ân | | | |
| | aller fröiden vlust | | | |
| g | got der lâze iu beiden | | KvH   3 | |
| | iemer wol gelingen | | | |

$ :   2           1             1

ZF    ZU FRÜH

| | | | | | |
|---|---|---|---|---|---|
| | ze fruo | WvE  7.1 | | WvB  1 | |
| | | WV    2 | | | |
| s | ze snelle | | | | N27   1 |
| t | nach so kurzer wîle | | | | KvH   2 |
| u | tac ze fruo | | | JH  33.2 | Wiz  2.2 |
| | | | | 33.2 | |

$   8           2             3          3

ZI    ZINNE

| | | | | | |
|---|---|---|---|---|---|
| | zinne | WvE  5.1 | UvL 40.1 | KvW 14.1 | N26   3 |
| | | OvB 13.2 | UvW  7.1 | | Wiz  4.- |
| | | | 29.1 | | |
| | | | Mar  3.2 | | |
| m | mûre | | Mar  2.1 | | |
| w | wer | | | | KvH   4 |

$ :  11        2         5         1         3

ZL    ZU LANGE

| | | | | | |
|---|---|---|---|---|---|
| | ze lange | OvB  3.1 | UvL 40.1 | KvW 14.1 | Wiz  4.- |
| | | | UvW 13.1 | HT    1 | |
| | | | | JH  50.1 | |

$ :   7         1         2         3         1

ZO    ZORN

| | | | |
|---|---|---|---|
| | zorn | OvB  3.2 | HB   3 |

$ :   2         1         1

ZÖ    ZÖGERN

| | | | | | |
|---|---|---|---|---|---|
| b | bîten | | HB   1 | WvB  3 | |
| p | ze spâte tuon | | | JH  14.3 | |
| s | sûmen | WvE  5.2 | | | LvS   f |
| u | kûme varn lâzen | | | JH  14.2 | |
| v | verligen | | | | N26   1 |

$ :   7         1         1         3         2

ZT ES IST ZEIT

  es ist zît

| | | | | | | | |
|---|---|---|---|---|---|---|---|
| OvB | 3.2 | HB | 1 | JH | 33.3 | N26 | 2 |
| | 13.1 | Lüz | 2.1 | | 34.1 | Wiz | 1.1 |
| WV | 6 | Mar | 2.1 | | 50.3 | | |
| | | UvW | 7.1 | WvB | 1 | | |
| | | | | HT | 1 | | |

c die zît kunt tuon       Mar 3.1
m melden           Mar 3.3

| $ : 16 | 3 | 6 | 5 | 2 |
|---|---|---|---|---|

ZU ZUKUNFT

| | | | | | | | | |
|---|---|---|---|---|---|---|---|---|
| a | rât werden lâzen | WV | 6 | | | | Win | f |
| e | wie sol ez ergên | WvE | 1.1 | | JH | 14.1 | KvH | 4 |
| l | weme wilt dû mich lâzen | WvE | 7.4 | | | | Win / N26 | f / 4 |
| m | iemer mê | | | UvW | 7.2 | | | |
| w | was sol werden mîn | | | | KvW | 15.3 | | |

| $ : 10 | 3 | 1 | 2 | 4 |
|---|---|---|---|---|


ANZAHL DER ELEMENTE       :     101

REALISATIONEN DER ELEMENTE    :     1802

LISTE   3.2

Absoluter Anteil (Elemente)

LEGENDE :

| Rubrik I | : | Sigle des Elementes |
| Rubrik II | : | Aus Liste 3.1 übernommene, mnemotech- |
| | | nische Erläuterung der Sigle. |
| Rubrik III | : | Anzahl der Realisationen |

LISTE 3.2

| TG | Tag | 163 |
|----|-----|-----|
| UG | Leid | 147 |
| TR | Scheiden | 79 |
| LI | Liebe | 74 |
| SP | Sprechen | 67 |
| RT | Weggehen | 63 |
| LG | Liegen | 59 |
| UA | Umarmung | 58 |
| FU | Gefahr | 53 |
| SI | Singen | 51 |
| FR- | Keine Freude | 40 |
| KU | Kuß | 34 |
| HM | Heimlich | 33 |
| SE | Sehen | 32 |
| SN | Schnell | 29 |
| NA | Nacht | 27 |
| SO | Sorge | 26 |
| WR | Warnen | 25 |
| WK | Wecken | 25 |
| MO | Morgen | 25 |
| TW | Treue | 25 |
| WE | Weinen | 25 |
| SL | Schlafen | 24 |
| LL | Liebe zu Leid | 23 |
| ER | Ansehen | 22 |
| HZ | Herz | 20 |
| VO | Vogel | 20 |
| RA | Rat | 19 |
| AS | Aufstehen | 19 |
| FR+ | Freude | 18 |
| WA | Bewachen | 18 |
| AW | Aufwachen | 18 |
| HÖ | Hören | 18 |
| OT | Gesicht | 17 |
| RK | Rückkehr | 16 |

| | | |
|---|---|---|
| ZT | Zeit | 16 |
| ST | Sterne | 16 |
| MR | Merker | 16 |
| SG | Segen | 16 |
| ES | Erschrecken | 15 |
| MS | Liebesspiel | 13 |
| FS | Fürsorge | 13 |
| BL | Bleiben | 12 |
| NL | Nicht länger | 12 |
| ZI | Zinne | 11 |
| UL | Urlaub | 11 |
| ZU | Zukunft | 10 |
| VB | Verbergen | 10 |
| MH | Erhöhung(Minne) | 10 |
| MZ | Mäßigung | 10 |
| LO | Lohn | 9 |
| ZF | Zu früh | 8 |
| WO | Wolken | 8 |
| ET | Erotik | 7 |
| HE | Helfen | 7 |
| TL | Tagelied | 7 |
| FL | Fluch | 7 |
| ZL | Zu lange | 7 |
| ZÖ | Zögern | 7 |
| SH | Sich hüten | 6 |
| HG | Umfriedeter Ort | 6 |
| LE | Leisten | 6 |
| TD | Tugend | 6 |
| TT | Trost | 6 |
| RZ | Rechtzeitig | 6 |
| MI | Missen | 5 |
| VM | Frau Minne | 5 |
| GL | Glauben | 5 |
| BM | Baum | 5 |
| BV | Anbefehlen | 5 |
| HR | Horn | 4 |

| TI | Lit.Anspielung | 4 |
|----|----------------|---|
| FE | Fenster | 4 |
| GT | Güte | 4 |
| DI | Dienst | 4 |
| SW | Schwören | 3 |
| AL | Alleine bleiben | 3 |
| RU | Rühmen | 3 |
| EK | Hinausgehen | 3 |
| LH | Licht | 3 |
| PA | Burg | 3 |
| HI | Herinnen sein | 3 |
| GB | Gebieten | 3 |
| DA | Dank | 2 |
| EB | Erbarmen | 2 |
| GH | Z.w.gehen | 2 |
| KL | Kleid | 2 |
| KW | Kurzweil | 2 |
| MD | Mond | 2 |
| NE | Nebel | 2 |
| WU | Wunsch | 2 |
| ZO | Zorn | 2 |
| DB | Minnedieb | 1 |
| EO | Erobern | 1 |
| BS | Herkommen | 1 |
| TA | Tal | 1 |
| KE | Kemenate | 1 |
| BU | Blume | 1 |
| BE | Berg | 1 |
| GW | Gleichwert | 1 |
| LU | Lügen | 1 |

LISTEN 4

DIE KONSTITUENTEN


ERLÄUTERUNG:

Die Bildung der Konstituenten hängt vom Bestand der
Elemente ab. Hier finden sich beim ersten Überblick Gruppierungen, deren Elemente eindeutig nur in einer Gruppe zusammengestellt werden können. Z.B. gehören MO 'Morgen' und
TD 'Vorzüglichkeit' nicht in eine Gruppe, da ersteres zusammen mit TG 'Tag' u.a. unter einen Oberbegriff zu stellen
ist, während für TD das gleiche im Zusammenhang mit ER 'Ansehen' gilt. Elemente werden also in Gruppen aufgenommen,
wenn sie Elementen in einer Gruppe begrifflich ähnlich,
Elementen in allen anderen Gruppen begrifflich unähnlich
sind [1]. Auf diese Weise gewinnen wir 15 Konstituenten, deren
Elementenmenge zwischen 14 und 1 schwankt.

---

1) Vgl. die Begründung für diese Argumentation und Festlegung in der logischen Analyse von H.H. Lieb (1966).

LISTE  4.1

Auflistung

LEGENDE:

| | | |
|---|---|---|
| Rubrik I. | : | Sigle des Elementes |
| Rubrik II. | : | Aus Liste 3.2 übernommene Erläuterung der Sigle |
| Rubrik III.- IV. | : | Zeitgruppen A,B,C,X |
| Rubrik VII. | : | Quersumme |

EROTIK

|     |               | A  | B  | C  | X  | Sa. |
|-----|---------------|----|----|----|----|-----|
| LI  | Liebe         | 16 | 20 | 19 | 19 | 74  |
| LG  | Liegen        | 14 | 18 | 13 | 14 | 59  |
| UA  | Umarmen       | 13 | 18 | 18 | 9  | 58  |
| KU  | Kuß           | 5  | 15 | 4  | 10 | 34  |
| FR+ | Freude        | 1  | 6  | 5  | 6  | 18  |
| OT  | Gesicht       | 2  | 7  | 5  | 3  | 17  |
| MS  | Liebesspiel   | 1  | 8  | 4  | -  | 13  |
| ET  | Erotik        | 4  | 1  | 1  | 1  | 7   |
| RU  | Rühmen        | 1  | 2  | -  | -  | 3   |
| KL  | Kleid         | -  | -  | -  | 2  | 2   |
| KW  | Kurzweil      | -  | 1  | -  | 1  | 2   |
| BS  | Beisammensein | -  | -  | -  | 1  | 1   |
| DB  | Minnediep     | -  | -  | 1  | -  | 1   |
| EO  | Erobern       | -  | -  | -  | 1  | 1   |
|     |               | 57 | 96 | 70 | 67 | 290 |

NATURERSCHEINUNGEN (ALS TAGESANZEICHEN)

|    |        | A  | B  | C  | X  | Sa. |
|----|--------|----|----|----|----|-----|
| TG | Tag    | 27 | 41 | 46 | 49 | 163 |
| MO | Morgen | 5  | 5  | 9  | 6  | 25  |
| VO | Vogel  | 5  | 6  | 6  | 3  | 20  |
| ST | Stern  | 2  | 5  | 6  | 3  | 16  |
| ZT | Zeit   | 3  | 6  | 5  | 2  | 16  |
| WO | Wolke  | 3  | 4  | -  | 1  | 8   |
| NA | Nacht  | 6  | 6  | 9  | 4  | 27  |
| LH | Licht  | 1  | 1  | 1  | -  | 3   |
| MD | Mond   |    |    | 1  | 1  | 2   |
| NE | Nebel  |    | 1  | 1  |    | 2   |
|    |        | 52 | 77 | 84 | 69 | 282 |

LEID / TRAUER

|    |              | A  | B  | C  | X  | Sa. |
|----|--------------|----|----|----|----|-----|
| UG | Leid         | 24 | 44 | 40 | 39 | 147 |
| SO | Sorge        | 6  | 4  | 9  | 7  | 26  |
| WE | Weinen       | 6  | 6  | 8  | 5  | 25  |
| LL | Liebe Leid   | 3  | 7  | 8  | 5  | 23  |
| FL | Fluch        | 2  | 1  | 1  | 3  | 7   |
| FR- | Keine Freude | 7  | 10 | 17 | 6  | 40  |
|    |              | 49 | 73 | 83 | 65 | 270 |

GEFAHR(UND IHRE ANZEICHEN)

|  |  | A | B | C | X | Sa. |
|------|-------------|----|----|----|----|-----|
| FU | Gefahr | 8 | 15 | 21 | 9 | 53 |
| HM | Heimlich | 3 | 11 | 7 | 12 | 33 |
| SN | Schnell | 7 | 7 | 11 | 4 | 29 |
| MR | Merker | 2 | 8 | 5 | 1 | 16 |
| VB | Verbergen | 3 | 5 | 1 | 1 | 10 |
| NL | Nicht länger | 4 | 4 | - | 4 | 12 |
| ZL | Zu lange | 1 | 2 | 3 | 1 | 7 |
| ZÖ | Zögern | 1 | 1 | 3 | 2 | 7 |
| RZ | Rechtzeitig | - | 1 | 4 | 1 | 6 |
| SH | Sich hüten | 3 | 2 | 1 | - | 6 |
| EK | Hinausgehen |  |  | 3 |  | 3 |
|  |  | 32 | 56 | 59 | 35 | 182 |

AUSEINANDERGEHEN

|      |          | A  | B  | C  | X  | Sa. |
|------|----------|----|----|----|----|-----|
| RT   | Weggehen | 12 | 20 | 29 | 18 | 79  |
| TR   | Scheiden | 13 | 17 | 20 | 13 | 63  |
| UL   | Urlaub   | 6  | 2  | 2  | 1  | 11  |
|      |          | 31 | 39 | 51 | 32 | 153 |

WECKVORGANG

|        |            | A  | B  | C  | X  | Sa. |
|--------|------------|----|----|----|----|-----|
| SI     | Singen     | 15 | 9  | 15 | 12 | 51  |
| SE     | Sehen      | 6  | 8  | 8  | 10 | 32  |
| WK     | Wecken     | 2  | 13 | 5  | 5  | 25  |
| ES     | Erschrecken| 3  | 4  | 3  | 5  | 15  |
| TL     | Tagelied   | 3  | 1  | 2  | 1  | 7   |
| HR     | Horn       |    | 1  | 1  | 2  | 4   |
|        |            | 29 | 36 | 34 | 35 | 134 |

HÖFISCH-MINNESANGLICHE ELEMENTE

|    |            | A  | B  | C  | X  | Sa. |
|----|------------|----|----|----|----|-----|
| ER | Ehre/Ans.  | 6  | 5  | 8  | 3  | 22  |
| VM | Frau Minne | -  | 5  | -  | -  | 5   |
| GB | Gebiuten   |    | 2  |    | 2  | 4   |
| TI | Lit. Ansp. | -  | 1  | 1  | -  | 2   |
| TW | Treue      | 10 | 9  | 1  | 5  | 25  |
| HZ | Herz       | 3  | 10 | 2  | 5  | 20  |
| MH | Hoher Mut  | -  | 6  | -  | 4  | 10  |
| MZ | Mäßigung   | 1  | 3  | 5  | 1  | 10  |
| LE | Leisten    | 4  | 1  | -  | 1  | 6   |
| TD | Tugend     | 1  | 1  | -  | 4  | 6   |
| DI | Dienst     | 3  | -  | -  | 1  | 4   |
| GT | Güte       | 2  | 2  | -  | -  | 4   |
| DA | Dank       | 2  | 1  | -  | -  | 3   |
| GW | Gleichwert | -  | 1  | -  | -  | 1   |
|    |            | 32 | 47 | 17 | 26 | 122 |

HILFE / FÜRSORGE

|      |           | A  | B  | C  | X  | Sa. |
|------|-----------|----|----|----|----|-----|
| WR   | Warnen    | 2  | 9  | 8  | 6  | 25  |
| RA   | Rat       | 3  | 3  | 7  | 6  | 19  |
| WA   | Bewachen  | 4  | 3  | 7  | 4  | 18  |
| FS   | Fürsorge  | 6  | 4  | 1  | 2  | 13  |
| HE   | Helfen    | 4  | –  | 1  | 2  | 7   |
|      |           | 19 | 19 | 24 | 20 | 82  |

SPRECHEN

|  |  | A | B | C | X | Sa. |
|---|---|---|---|---|---|---|
| SP | Sprechen | 13 | 24 | 12 | 18 | 67 |

AUFSTEHEN / WACHEN / HÖREN

|    |           | A | B  | C  | X  | Sa. |
|----|-----------|---|----|----|----|-----|
| AS | Aufstehen | 3 | 8  | 6  | 2  | 19  |
| AW | Aufwachen | 4 | 4  | 8  | 2  | 18  |
| HÖ | Hören     | 2 | 4  | 6  | 6  | 18  |
|    |           | 9 | 16 | 20 | 10 | 55  |

ABSCHIED

|     |                   | A  | B | C  | X | Sa. |
|-----|-------------------|----|---|----|---|-----|
| RK  | Rückkehr          | 9  | 2 | 4  | 1 | 16  |
| BL  | Bleiben           | 5  | - | 7  |   | 12  |
| ZU  | Zukunft           | 3  | 1 | 2  | 4 | 10  |
| MI  | Missen            | 1  | - | 4  | - | 5   |
| AL  | Alleine bleiben   | 1  | 1 | 1  | - | 3   |
|     |                   | 19 | 4 | 18 | 5 | 46  |

GEBÄUDE(TEILE) / LANDSCHAFT

|    |                       | A  | B  | C  | X | Sa. |
|----|-----------------------|----|----|----|---|-----|
| Zi | Zinne                 | 2  | 5  | 1  | 3 | 11  |
| HG | Umfr. Ort             | -  | 1  | 4  | 1 | 6   |
| BM | Baum                  | 2  | 2  | 1  | - | 5   |
| FE | Fenster               | -  | 2  | 1  | 1 | 4   |
| HI | Im Innern aufhalten   | 2  | -  | 1  | - | 3   |
| PA | Palas-Burg            | 1  | -  | 2  | - | 3   |
| BE | Berg                  | -  | -  | -  | 1 | 1   |
| KE | Kemenate              | -  | 1  | -  | - | 1   |
| TA | Tal                   | -  | -  | -  | 1 | 1   |
| BU | Blume                 | 1  |    |    |   |     |
|    |                       | 8  | 11 | 10 | 7 | 36  |

SEGEN

|    |           | A | B  | C | X | Sa. |
|----|-----------|---|----|---|---|-----|
| SG | Segen     | 1 | 7  | 2 | 6 | 16  |
| TT | Trost     | - | 3  | 2 | 1 | 6   |
| BN | Anbefehlen| - | 4  | - | 1 | 5   |
| SW | Schwören  | - | -  | 2 | 1 | 3   |
| WU | Wunsch    | 1 |    | 1 | - | 2   |
| EB | Erbarmen  | - | 2  | - | - | 2   |
|    |           | 2 | 16 | 7 | 9 | 34  |

REFLEX AUF WECKEN (ZU FRÜH...)

|    |          | A | B | C | X | Sa. |
|----|----------|---|---|---|---|-----|
| LO | Lohn     | 1 | 1 | 6 | 1 | 9   |
| ZF | Zu früh  | 2 | - | 3 | 3 | 8   |
| GL | Glauben  | - | 1 | 3 | 1 | 5   |
| GH | z.W.gehen| - | - | 2 | - | 2   |
| LÜ | Lügen    | - | 1 | - | - | 1   |
|    |          | 3 | 3 | 14| 5 | 25  |

SCHLAFEN

|  | A | B | C | X | Sa. |
|---|---|---|---|---|---|
| SL Schlafen | 4 | 11 | 2 | 7 | 24 |

Zusammenfassung

Die Konstituenten

| | Ges.Zahl | El. Zahl | Relativer Anteil |
|---|---|---|---|
| EROTIK | 290 | 14 | 16.1% |
| NATURERSCHEINUNGEN | 282 | 10 | 15.6% |
| LEID / TRAUER | 270 | 7 | 15.0% |
| GEFAHR | 182 | 11 | 10.1% |
| AUSEINANDERGEHEN | 153 | 3 | 8.5% |
| WECKVORGANG | 134 | 6 | 7.4% |
| HÖFISCH-MINNESANGLICHE ELEMENTE | 122 | 14 | 6.8% |
| HILFE / FÜRSORGE | 82 | 5 | 4.6% |
| SPRECHEN | 67 | 1 | 3.7% |
| AUFSTEHEN | 55 | 3 | 3.0% |
| ABSCHIED | 46 | 5 | 2.6% |
| GEBÄUDE / LANDSCHAFT | 36 | 10 | 2.5% |
| SEGEN | 34 | 6 | 1.9% |
| REFLEX AUF WECKEN | 25 | 5 | 1.4% |
| SCHLAFEN | 24 | 1 | 1.3% |
| | 1802 | 101 | 100.0% |

LISTE  4.2
Relativer Anteil

Zur Auswertung stehen die Daten aus den einzelnen Zeitgruppen an. Um eine gleichmäßige Basis zu
erhalten, muß der relative Anteil der einzelnen
Gruppen am Gesamtvorkommen festgestellt werden. Da
die Gruppe X inhomogen ist, kann das nur für die
Gruppen A,B und C gelten. Als Maßstab wird die Wortanzahl pro Lied und Gruppe aus Liste 2 genommen[1].
Wenn die Wortanzahl von A, B und C gleich 100 %
ist, so erhalten wir für A 25,7 %, für B 38,8 %
und für C 35,5 % Anteil am Gesamt.
Abw. = Abweichung vom Normanteil.

---

1) In den Gruppen A, B, C befinden sich keine Fragmente, so daß das Problem der Unvollständigkeit
   der Wortanzahl nicht auftaucht.

LISTE 4.2

| KONSTITUENTEN | % | A Abwei-chung | % | B Abwei-chung | % | C Abwei-chung |
|---|---|---|---|---|---|---|
| EROTIK | 25.6 | -0.2 | 43.5 | +4.3 | 31.4 | -4.1 |
| NATURERSCHEINUNGEN | 24.4 | -1.3 | 36.2 | -2.6 | 39.4 | +3.9 |
| LEID/TRAUER | 23.9 | -1.8 | 35.6 | -3.2 | 40.5 | +5.0 |
| GEFAHR | 21.8 | -4.9 | 38.1 | -0.7 | 40.1 | +5.6 |
| AUSEINANDERGEHEN | 25.7 | 0 | 32.2 | -6.6 | 42.1 | +6.6 |
| WECKVORGANG | 29.2 | +3.5 | 36.4 | -2.4 | 34.4 | -1.1 |
| HÖFISCH-MINNESANG-LICHE ELEMENTE | 33.3 | +7.6 | 49.0 | +10.2 | 17.7 | -17.8 |
| HILFE/FÜRSORGE | 30.6 | +4.9 | 30.6 | -8.2 | 38.8 | +3.3 |
| SPRECHEN | 26.5 | +0.8 | 49.0 | +10.2 | 24.5 | -11.0 |
| AUFSTEHEN | 20.0 | -5.7 | 35.6 | -3.2 | 44.4 | +8.9 |
| ABSCHIED | 46.3 | +20.6 | 9.8 | -29.0 | 43.9 | +8.4 |
| GEBÄUDE | 27.6 | +1.9 | 37.9 | -0.9 | 34.5 | -1.0 |
| SEGEN | 8.0 | -17.7 | 64.0 | +25.2 | 28.0 | -7.5 |
| REFLEX AUF WECKEN | 15.0 | -10.7 | 70.0 | +31.2 | 15.0 | -20.5 |
| SCHLAFEN | 23.6 | -2.1 | 64.7 | +25.9 | 11.7 | -23.8 |

LISTE  4.3  (GRAPHIK)

ERLÄUTERUNG:

Verzeichnet werden die Abweichungen vom Normanteil.

LEGENDE:

HEL  =  Hilfe / Fürsorge

WEK  =  Weckvorgang

GEB  =  Gebäude / Landschaft

TAG  =  Naturerscheinungen

SPR  =  Sprechen

HÖF  =  Höfisch - minnesangliche Elemente

REF  =  Reflex auf Wecken

LEI  =  Leid / Trauer

ERO  =  Erotik

SEG  =  Segen

ABS  =  Abschied

AUF  =  Aufstehen

SCH  =  Schlafen

WEG  =  Auseinandergehen

GEF  =  Gefahr

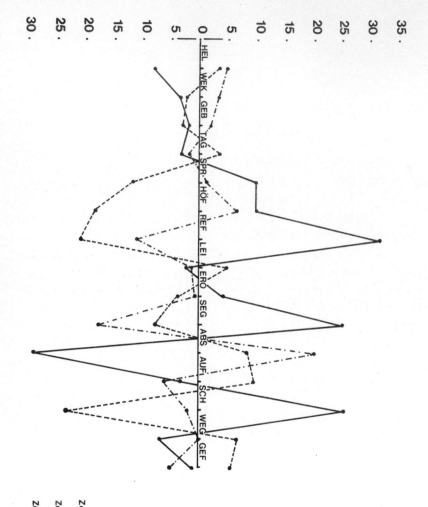

Zeitraum A: –·–·–·–

Zeitraum B: ——————

Zeitraum C: –––––

UK76

LISTEN  5.1  und  5.2

RELATION DER FIGUREN


ERLÄUTERUNG :

In dieser kombinierten Aufstellung werden einerseits
die Beziehungen Figur-Element - gleichgültig, ob der Figur
zugesprochen oder von ihr selbst ausgesprochen (Rubrik III -
absolut - und Rubrik IV - relativ) - andererseits die tatsächliche Aktivität - also nur die von der Figur selbst be-
nannte (Rubrik V - absolut - und Rubrik VI - relativ) verzeichnet.

# W Ä C H T E R

| TG | Tag | 79 | ( 49.0 %) | 75 | ( 46.0 %) |
|----|-----|-----|-----------|-----|-----------|
| SI | Singen | 51 | (100.0 %) | 36 | ( 70.7 %) |
| SP | Sprechen | 27 | ( 40.3 %) | 20 | ( 30.0 %) |
| WR | Warnen | 23 | ( 92.0 %) | 22 | ( 88.0 %) |
| SE | Sehen | 18 | ( 56.2 %) | 16 | ( 50.0 %) |
| WA | Bewachen | 17 | ( 94.5 %) | 16 | ( 88.9 %) |
| RA | Rat geben | 17 | ( 89.4 %) | 16 | ( 84.1 %) |
| ZI | Zinne | 11 | (100.0 %) | 9 | ( 81.8 %) |
| ZT | Zeit | 11 | ( 68.8 %) | 11 | ( 68.8 %) |
| VO | Vogel | 11 | ( 55.0 %) | 12 | ( 60.0 %) |
| TW | Treue | 11 | ( 44.0 %) | 9 | ( 36.0 %) |
| NA | Nacht | 11 | ( 40.7 %) | 11 | ( 40.7 %) |
| MO | Morgen | 11 | ( 44.0 %) | 8 | ( 32.0 %) |
| FS | Fürsorge | 11 | ( 84.6 %) | 12 | ( 92.3 %) |
| ES | Erschrecken | 10 | ( 66.6 %) | 3 | ( 20.0 %) |
| SO | Sorge | 10 | ( 38.5 %) | 11 | ( 42.5 %) |
| MR | Merker | 9 | ( 56.2 %) | 12 | ( 75.0 %) |
| FU | Gefahr | 8 | ( 15.0 %) | 36 | ( 68.1 %) |
| MZ | Mäßigung | 8 | ( 80.0 %) | 8 | ( 80.0 %) |
| HE | Hilfe | 7 | (100.0 %) | 5 | ( 71.4 %) |
| TL | Tagelied | 7 | (100.0 %) | 4 | ( 57.1 %) |
| ST | Stern | 7 | ( 43.0 %) | 7 | ( 43.0 %) |
| WK | Wecken | 5 | ( 20.0 %) | 5 | ( 20.0 %) |
| WO | Wolken | 5 | ( 62.5 %) | 5 | ( 62.5 %) |
| HR | Horn | 4 | (100.0 %) | 4 | (100.0 %) |
| NL | Nicht länger | 4 | ( 33.3 %) | 8 | ( 66.6 %) |
| LE | Leisten | 4 | ( 66.6 %) | 5 | ( 83.4 %) |
| ER | Ansehen | 4 | ( 18.2 %) | 12 | ( 55.0 %) |
| EK | Hinausgehen | 3 | (100.0 %) | 2 | ( 66.7 %) |
| DI | Dienen | 3 | ( 75.0 %) | 3 | ( 75.0 %) |
| ZF | Zu früh | 3 | ( 37.5 %) | 1 | ( 12.5 %) |
| SN | Schnell | 3 | ( 10.4 %) | 17 | ( 58.7 %) |
| TI | Literar. An-<br>spielung | 2 | ( 50.0 %) | 2 | ( 50.0 %) |
| PA | Burg | 2 | ( 66.6 %) | 2 | ( 66.6 %) |

| UG | Leid | 2 | ( 1.2 %) | 21 | ( 14.3 %) |
|----|------|---|----------|----|-----------|
| BM | Baum | 2 | ( 40.0 %) | 2 | ( 40.0 %) |
| LO | Belohnung | 2 | ( 22.3 %) | 2 | ( 22.3 %) |
| BE | Berg | 1 | (100.0 %) | 1 | (100.0 %) |
| LÜ | Lügen | 1 | (100.0 %) | 1 | (100.0 %) |
| TA | Tal | 1 | (100.0 %) | 0 | -.- |
| ZU | Zukunft | 1 | ( 10.0 %) | 1 | ( 10.0 %) |
| FE | Fenster | 1 | ( 25.0 %) | 1 | ( 25.0 %) |
| WU | Wunsch | 1 | ( 50.0 %) | 1 | ( 50.0 %) |
| NE | Nebel | 1 | ( 50.0 %) | 1 | ( 50.0 %) |
| HÖ | Hören | 1 | ( 5.7 %) | 5 | ( 27.8 %) |
| HM | Heimlich | 1 | ( 3.0 %) | 20 | ( 62.4 %) |
| FR- | Keine Freude | 1 | ( 2.5 %) | 5 | ( 12.5 %) |
| HG | Umfriedeter Ort | 1 | ( 16.7 %) | 1 | ( 16.7 %) |
| WE | Weinen | 1 | ( 4.0 %) | 3 | ( 12.0 %) |

ELEMENTE  49     435  REALISATIONEN    502

| TR | Scheiden | | | 34 | ( 43.0 %) |
|----|----------|---|---|----|-----------|
| LI | Liebe | | | 32 | ( 43.2 %) |
| LG | Liegen | | | 23 | ( 38.6 %) |
| RT | Weggehen | | | 18 | ( 29.0 %) |
| AS | Aufstehen | | | 13 | ( 68.4 %) |
| AW | Aufwachen | | | 10 | ( 55.6 %) |
| ZÖ | Zögern | | | 7 | (100.0 %) |
| UA | Umarmen | | | 6 | ( 10.3 %) |
| LL | Liebe zu Leid | | | 6 | ( 26.1 %) |
| SL | Schlafen | | | 5 | ( 20.8 %) |
| SH | Sich hüten | | | 5 | ( 83.4 %) |
| RZ | Rechtzeitig | | | 5 | ( 83.4 %) |
| ZL | Zu lange | | | 5 | ( 71.4 %) |
| FR+ | Freude | | | 3 | ( 16.6 %) |
| UL | Urlaub | | | 3 | ( 27.2 %) |
| BL | Bleiben | | | 3 | ( 25.0 %) |
| TD | Tugend | | | 3 | ( 50.0 %) |
| MS | Liebesspiel | | | 2 | ( 15.4 %) |
| HZ | Herz | | | 2 | ( 10.0 %) |

| RK | Rückkehr | 2 | ( 12.5 %) |
|----|----------|---|-----------|
| GL | Glauben | 2 | ( 40.0 %) |
| SG | Segen | 2 | ( 12.5 %) |
| ZO | Zorn | 2 | (100.0 %) |
| HI | Hier innen sein | 2 | ( 66.7 %) |
| MH | Erhöhung (Minne) | 1 | ( 10.0 %) |
| KU | Kuß | 1 | ( 2.9 %) |
| KW | Kurzweil | 1 | ( 50.0 %) |

ELEMENTE :76          REALISATIONEN : 697

F R A U

| | | | | | |
|---|---|---|---|---|---|
| UG | Leid | 81 | ( 55.4 %) | 77 | ( 52.4 %) |
| TG | Tag | 55 | ( 33.7 %) | 58 | ( 35.0 %) |
| SP | Sprechen | 30 | ( 44.7 %) | 33 | ( 49.0 %) |
| FR- | Keine Freude | 29 | ( 72.5 %) | 26 | ( 65.0 %) |
| UA | Umarmung | 28 | ( 48.4 %) | 22 | ( 38.0 %) |
| WE | Weinen | 21 | ( 84.0 %) | 19 | ( 76.0 %) |
| WK | Wecken | 19 | ( 76.0 %) | 8 | ( 32.0 %) |
| LI | Liebe | 19 | ( 25.9 %) | 17 | ( 23.0 %) |
| OT | Gesicht | 15 | ( 88.2 %) | 14 | ( 82.3 %) |
| KU | Kuß | 15 | ( 44.1 %) | 11 | ( 32.4 %) |
| LG | Liegen | 14 | ( 23.8 %) | 18 | ( 30.6 %) |
| TR | Scheiden | 13 | ( 16.5 %) | 21 | ( 26.6 %) |
| ER | Ansehen | 12 | ( 55.5 %) | 5 | ( 22.5 %) |
| MS | Liebesspiel | 11 | ( 84.6 %) | 1 | ( 7.7 %) |
| VB | Verbergen | 10 | (100.0 %) | 9 | ( 90.0 %) |
| ZU | Zukunft | 9 | ( 90.0 %) | 8 | ( 80.0 %) |
| SO | Sorge | 9 | ( 34.0 %) | 9 | ( 34.6 %) |
| LO | Belohnung | 7 | ( 77.7 %) | 7 | ( 77.7 %) |
| MO | Morgen | 8 | ( 32.0 %) | 11 | ( 44.0 %) |
| SG | Segen | 8 | ( 50.0 %) | 6 | ( 37.5 %) |
| LL | Liebe zu Leid | 8 | ( 34.8 %) | 7 | ( 30.4 %) |
| HZ | Herz | 8 | ( 40.0 %) | 9 | ( 45.0 %) |
| HÖ | Hören | 8 | ( 44.4 %) | 8 | ( 44.4 %) |
| VO | Vogel | 6 | ( 30.0 %) | 5 | ( 25.0 %) |
| SE | Sehen | 6 | ( 18.8 %) | 9 | ( 27.0 %) |
| NA | Nacht | 6 | ( 22.5 %) | 6 | ( 22.5 %) |
| FL | Fluch | 6 | ( 85.7 %) | 6 | ( 85.7 %) |
| ES | Erschrecken | 5 | ( 33.3 %) | 12 | ( 80.0 %) |
| FU | Gefahr | 5 | ( 9.5 %) | 4 | ( 7.5 %) |
| ET | Erotik | 5 | ( 71.4 %) | 2 | ( 28.6 %) |
| HM | Heimlich | 4 | ( 12.0 %) | 3 | ( 9.1 %) |
| FR+ | Freude | 4 | ( 22.3 %) | 4 | ( 22.3 %) |
| UL | Urlaub | 4 | ( 36.6 %) | 6 | ( 54.6 %) |
| ZF | Zu früh | 4 | ( 50.0 %) | 7 | ( 87.5 %) |

| | | | | | |
|----|----|----|----|----|----|
| TW | Treue | 4 | ( 16.0 %) | 8 | ( 32.0 %) |
| BV | Anbefehlen | 4 | ( 80.0 %) | 4 | ( 80.0 %) |
| SL | Schlafen | 4 | ( 16.7 %) | 14 | ( 58.4 %) |
| MH | Erhöhung durch Minne | 4 | ( 40.0 %) | 5 | ( 50.0 %) |
| ST | Sterne | 4 | ( 25.0 %) | 4 | ( 25.0 %) |
| FE | Fenster | 3 | ( 75.0 %) | 3 | ( 75.0 %) |
| BM | Baum | 3 | ( 60.0 %) | 3 | ( 60.0 %) |
| GB | Gebieten | 3 | (100.0 %) | 0 | -.- |
| AL | Alleine bleiben | 3 | (100.0 %) | 3 | (100.0 %) |
| GL | Glauben | 3 | ( 60.0 %) | 3 | ( 60.0 %) |
| TD | Tugend | 3 | ( 50.0 %) | 2 | ( 33.0 %) |
| AS | Aufstehen | 3 | ( 15.7 %) | 6 | ( 31.6 %) |
| WR | Warnen | 2 ( | ( 8.0 %) | 1 | ( 1.0 %) |
| ZT | Zeit | 2 | ( 12.5 %) | 2 | ( 12.5 %) |
| RA | Rat | 2 | ( 10.6 %) | 2 | ( 10.6 %) |
| MR | Merker | 2 | ( 12.5 %) | 1 | ( 6.2 %) |
| HG | Umfriedeter Ort | 2 | ( 33.3 %) | 2 | ( 33.3 %) |
| ZO | Zorn | 2 | (100.0 %) | 0 | -.- |
| MD | Mond | 2 | (100.0 %) | 2 | (100.0 %) |
| GH | Gehen | 2 | (100.0 %) | 2 | (100.0 %)) |
| KL | Kleider | 2 | (100.0 %) | 2 | (100.0 %) |
| FS | Fürsorge | 2 | ( 16.1 %) | 1 | ( 7.7 %) |
| TT | Trost | 2 | ( 33.4 %) | 4 | ( 66.7 %) |
| MI | Missen | 2 | ( 40.0 %) | 2 | ( 40.0 %) |
| GT | Güte | 2 | ( 50.0 %) | 1 | ( 25.0 %) |
| ZÖ | Zögern | 2 | ( 28.5 %) | 0 | -.- |
| LH | Licht | 2 | ( 66.6 %) | 2 | ( 66.6 %) |
| AW | Aufwachen | 2 | ( 11.2 %) | 6 | ( 33.3 %) |
| WA | Bewachen | 1 | ( 5.5 %) | 2 | ( 11.1 %) |
| WO | Wolken | 1 | ( 12.5 %) | 1 | ( 12.5 %) |
| SN | Schnell | 1 | ( 3.4 %) | 5 | ( 17.2 %) |
| MZ | Mäßigung | 1 | ( 10.0 %) | 1 | ( 10.0 %) |
| KE | Kemenate | 1 | (100.0 %) | 1 | (100.0 %) |
| ZL | Zu lange | 1 | ( 14.3 %) | 1 | ( 14.3 %) |
| DA | Dank | 1 | ( 50.0 %) | 1 | ( 50.0 %) |

ELEMENTE : 70          572 REALISATIONEN : 566

| RT | Weggehen | 17 | ( 27.0 %) |
|----|----------|----|-----------|
| SI | Singen | 12 | ( 23.5 %) |
| RK | Rückkehr | 6 | ( 37.5 %) |
| BL | Bleiben | 8 | ( 66.7 %) |
| TL | Tagelied | 2 | ( 28.6 %) |
| HE | Helfen | 2 | ( 28.6 %) |
| NL | Nicht länger | 2 | ( 16.2 %) |
| ZI | Zinne | 2 | ( 18.2 %) |
| BS | Beisammen sein | 1 | (100.0 %) |
| LÜ | Lügen | 1 | (100.0 %) |
| HI | Hier innen sein | 1 | ( 33.3 %) |
| EO | Erobern | 1 | (100.0 %) |
| EK | Hinausgehen | 1 | ( 33.3 %) |
| EB | Erbarmen | 1 | ( 50.0 %) |
| RZ | Rechtzeitig | 1 | ( 16.6 %) |

ELEMENTE : 84          REALISATIONEN  : 623

R I T T E R

| | | | | | |
|----|------------------|----|------------|----|------------|
| RT | Weggehen | 63 | (100.0 %) | 28 | ( 44.0 %) |
| TR | Scheiden | 37 | ( 46.9 %) | 13 | ( 16.5 %) |
| LI | Liebe | 37 | ( 50.0 %) | 19 | ( 25.7 %) |
| LG | Liegen | 33 | ( 55.9 %) | 12 | ( 20.4 %) |
| UG | Leid | 32 | ( 21.7 %) | 28 | ( 19.0 %) |
| HM | Heimlich | 23 | ( 69.9 %) | 8 | ( 15.2 %) |
| FU | Gefahr | 22 | ( 41.5 %) | 7 | ( 13.2 %) |
| SN | Schnell | 22 | ( 75.8 %) | 6 | ( 20.7 %) |
| SL | Schlafen | 19 | ( 79.1 %) | 5 | ( 20.8 %) |
| TG | Tag | 15 | ( 9.2 %) | 14 | ( 8.4 %) |
| AW | Aufwachen | 15 | ( 83.2 %) | 2 | ( 11.1 %) |
| RK | Rückkehr | 14 | ( 87.5 %) | 6 | ( 37.5 %) |
| BL | Bleiben | 12 | (100.0 %) | 1 | ( 8.3 %) |
| KU | Kuß | 11 | ( 32.4 %) | 14 | ( 41.2 %) |
| AS | Aufstehen | 11 | ( 58.0 %) | 0 | -.- |
| TW | Treue | 10 | ( 40.0 %) | 8 | ( 32.0 %) |
| UA | Umarmung | 10 | ( 17.2 %) | 13 | ( 22.4 %) |
| SP | Sprechen | 10 | ( 15.0 %) | 14 | ( 21.0 %) |
| NA | Nacht | 9 | ( 33.3 %) | 9 | ( 33.3 %) |
| HZ | Herz | 9 | ( 45.0 %) | 7 | ( 35.0 %) |
| FR+ | Freude | 9 | ( 50.0 %) | 7 | ( 38.8 %) |
| NL | Nicht länger | 8 | ( 66.6 %) | 2 | ( 16.2 %) |
| SG | Segen | 8 | ( 50.0 %) | 8 | ( 50.0 %) |
| SE | Sehen | 7 | ( 21.9 %) | 6 | ( 20.0 %) |
| HÖ | Hören | 7 | ( 38.9 %) | 5 | ( 27.8 %) |
| UL | Urlaub | 7 | ( 63.4 %) | 2 | ( 18.2 %) |
| ER | Ansehen | 6 | ( 27.3 %) | 5 | ( 22.5 %) |
| ZL | Zu lange | 6 | ( 85.7 %) | 1 | ( 14.3 %) |
| LL | Liebe zu Leid | 6 | ( 26.1 %) | 2 | ( 8.7 %) |
| FR- | Keine Freude | 5 | ( 12.5 %) | 4 | ( 10.0 %) |
| MH | Erhöhung (Minne) | 5 | ( 50.0 %) | 4 | ( 40.0 %) |
| St | Sterne | 4 | ( 25.0 %) | 4 | ( 25.0 %) |
| MO | Morgen | 4 | ( 16.0 %) | 4 | ( 16.0 %) |
| TT | Trost | 4 | ( 66.6 %) | 2 | ( 33.3 %) |
| SH | Sich hüten | 4 | ( 66.6 %) | 1 | ( 16.6 %) |

| RZ | Rechtzeitig | 4 | ( 66.0 %) | 0 | -.- |
|----|-------------|---|-----------|---|-----|
| SO | Sorge | 3 | ( 11.5 %) | 3 | ( 11.5 %) |
| MI | Missen | 3 | ( 60.0 %) | 3 | ( 60.0 %) |
| RU | Rühmen | 3 | (100.0 %) | 3 | (100.0 %) |
| HI | Drinnen sein | 3 | (100.0 %) | 0 | -.- |
| TI | Literar. Anspielung | 2 | ( 50.0 %) | 2 | ( 50.0 %) |
| LE | Leisten | 2 | ( 33.3 %) | 1 | ( 16.6 %) |
| ZT | Zeit | 2 | ( 12.5 %) | 2 | ( 12.5 %) |
| VO | Vogel | 2 | ( 10.0 %) | 2 | ( 10.0 %) |
| MR | Merker | 2 | ( 12.5 %) | 1 | ( 6.7 %) |
| GL | Glauben | 2 | ( 40.0 %) | 0 | -.- |
| ZÖ | Zögern | 2 | ( 28.5 %) | 0 | -.- |
| TD | Tugend | 2 | ( 33.3 %) | 1 | ( 16.7 %) |
| SW | Schwören | 2 | ( 66.6 %) | 2 | ( 66.6 %) |
| EB | Erbarmen | 2 | (100.0 %) | 1 | ( 50.0 %) |
| WU | Wunsch | 1 | ( 50.0 %) | 1 | ( 50.0 %) |
| PA | Burg | 1 | ( 33.3 %) | 1 | ( 33.3 %) |
| NE | Nebel | 1 | ( 50.0 %) | 1 | ( 50.0 %) |
| DI | Dienst | 1 | ( 25.0 %) | 1 | ( 25.0 %) |
| ZF | Zu früh | 1 | ( 12.5 %) | 0 | -.- |
| WO | Wolken | 1 | ( 12.5 %) | 1 | ( 12.5 %) |
| WK | Wecken | 1 | ( 4.0 %) | 3 | ( 12.0 %) |
| HG | Umfriedeter Ort | 1 | ( 16.7 %) | 1 | ( 16.7 %) |
| DA | Dank | 1 | ( 50.0 %) | 1 | ( 50.0 %) |
| BS | Beisammensein | 1 | (100.0 %) | 0 | -.- |
| BV | Anbefehlen | 1 | ( 20.0 %) | 1 | ( 20.0 %) |
| GW | Gleichwert | 1 | (100.0 %) | 1 | (100.0 %) |
| EO | Erobern | 1 | (100.0 %) | 0 | -.- |
| DB | Minnedieb | 1 | (100.0 %) | 1 | (100.0 %) |
| BU | Blumen | 1 | (100.0 %) | 1 | (100.0 %) |
| GT | Güte | 1 | ( 25.0 %) | 2 | ( 50.0 %) |
| OT | Gesicht | 1 | ( 5.9 %) | 2 | ( 11.8 %) |
| MS | Liebesspiel | 1 | ( 7.7 %) | 2 | ( 15.4 %) |
| ET | Erotik | 1 | ( 14.3 %) | 1 | ( 14.3 %) |
| KW | Kurzweil | 1 | ( 50.0 %) | 1 | ( 50.0 %) |

ELEMENTE : 69          560  REALISATIONEN :  314

| GB | Gebieten | 3 | (100.0 %) |
|----|----------|---|-----------|
| SI | Singen | 3 | ( 5.8 %) |
| WR | Warnen | 2 | ( 8.0 %) |
| VB | Verbergen | 1 | ( 10.0 %) |
| TL | Tagelied | 1 | ( 14.3 %) |
| ZU | Zukunft | 1 | ( 10.0 %) |
| RA | Rat | 1 | ( 5.3 %) |

---

ELEMENTE : 75              REALISATIONEN   : 326

P A A R

| | | | | | |
|---|---|---|---|---|---|
| UG | Leid | 32 | ( 21.7 %) | 19 | ( 12.6 %) |
| TR | Scheiden | 29 | ( 36.7 %) | 9 | ( 11.4 %) |
| UA | Umarmung | 20 | ( 34.4 %) | 17 | ( 29.3 %) |
| FU | Gefahr | 18 | ( 34.0 %) | 6 | ( 11.3 %) |
| LI | Liebe | 18 | ( 24.1 %) | 6 | ( 8.3 %) |
| LG | Liegen | 12 | ( 20.3 %) | 6 | ( 10.2 %) |
| LL | Liebe zu Leid | 9 | ( 39.1 %) | 8 | ( 34.8 %) |
| KU | Kuß | 8 | ( 23.5 %) | 8 | ( 23.5 %) |
| HM | Heimlich | 5 | ( 15.1 %) | 2 | ( 6.3 %) |
| FR- | Keine Freude | 5 | ( 12.5 %) | 5 | ( 12.5 %) |
| AS | Aufstehen | 5 | ( 26.3 %) | 0 | -.- |
| FR+ | Freude | 5 | ( 27.7 %) | 3 | ( 16.7 %) |
| SO | Sorge | 4 | ( 15.4 %) | 3 | ( 11.5 %) |
| SN | Schnell | 3 | ( 10.4 %) | 1 | ( 3.4 %) |
| MR | Merker | 3 | ( 18.8 %) | 1 | ( 6.2 %) |
| WE | Weinen | 3 | ( 12.0 %) | 3 | ( 12.0 %) |
| ZÖ | Zögern | 3 | ( 43.0 %) | 0 | -.- |
| HZ | Herz | 3 | ( 15.0 %) | 2 | ( 10.0 %) |
| HÖ | Hören | 2 | ( 11.1 %) | 0 | -.- |
| RK | Rückkehr | 2 | ( 12.5 %) | 2 | ( 12.5 %) |
| SH | Sich hüten | 2 | ( 33.4 %) | 0 | -.- |
| RZ | Rechtzeitig | 2 | ( 33.4 %) | 0 | -.- |
| TG | Tag | 1 | ( 0.6 %) | 1 | ( 0.6 %) |
| SE | Sehen | 1 | ( 3.1 %) | 1 | ( 3.1 %) |
| MZ | Mäßigung | 1 | ( 10.0 %) | 0 | -.- |
| GT | Güte | 1 | ( 25.0 %) | 1 | ( 25.0 %) |
| TD | Tugend | 1 | ( 16.7 %) | 0 | -.- |
| SL | Schlafen | 1 | ( 4.2 %) | 0 | -.- |
| OT | Gesicht | 1 | ( 5.9 %) | 1 | ( 5.9 %) |
| MS | Liebesspiel | 1 | ( 7.7 %) | 8 | ( 61.5 %) |
| MH | Erhöhung (Minne) | 1 | ( 10.0 %) | 0 | -.- |
| LH | Licht | 1 | ( 33.4 %) | 1 | ( 33.4 %) |
| FL | Fluch | 1 | ( 14.3 %) | 1 | ( 14.3 %) |
| ET | Erotik | 1 | ( 14.3 %) | 3 | ( 42.8 %) |
| AW | Aufwachen | 1 | ( 5.6 %) | 0 | -.- |

| KW | Kurzweil | 1 | ( 50.0 %) | 0 | -.- |
|----|----------|---|-----------|---|-----|
| SW | Schwören | 1 | ( 33.4 %) | 1 | ( 33.1 %) |

ELEMENTE : 37     208   REALISATIONEN : 119 (26 ELEMENTE)

## D I C H T E R

| TG | Tag | 13 | ( 7.5 %) | 15 | ( 9.2 %) |
|----|-----|----|----------|----|----------|
| VM | Frau Minne | 5 | (100.0 %) | 5 | (100.0 %) |
| MO | Morgen | 2 | ( 8.0 %) | 2 | ( 8.0 %) |
| HG | Umfriedeter Ort | 2 | ( 33.4 %) | 2 | ( 33.4 %) |
| NA | Nacht | 1 | ( 4.2 %) | 1 | ( 4.2 %) |
| ZT | Zeit | 1 | ( 6.2 %) | 1 | ( 6.2 %) |
| WO | Wolken | 1 | ( 12.5 %) | 1 | ( 12.5 %) |
| VO | Vogel | 1 | ( 5.0 %) | 1 | ( 5.0 %) |
| ST | Sterne | 1 | ( 7.0 %) | 1 | ( 7.0 %) |

ELEMENTE : 8     REALISATIONEN :   29

| TR | Scheiden | 2 | ( 2.5 %) |
|----|----------|---|----------|
| UG | Leid | 2 | ( 1.4 %) |
| MZ | Mäßigung | 1 | ( 10.0 %) |
| MR | Merker | 1 | ( 6.2 %) |
| FR+ | Freude | 1 | ( 5.6 %) |
| ET | Erotik | 1 | ( 14.3 %) |

     8

ELEMENTE : 14     REALISATIONEN :   37

LISTEN   5.3, 5.4 und 5.5
Signifikante Elemente (Wächter, Ritter, Frau)

ERLÄUTERUNG :

Es werden nur Elemente verzeichnet, die bei einer
Figur einen prozentualen Anteil von mehr 45 %
haben, also eine hohe relative Häufigkeit auf -
weisen.


LEGENDE     :

Das durch zwei Diagonale ausgefüllte Feld bei
der Absolut-Angabe bezeichnet den Anteil der Figur am Gesamtvorkommen.

**LISTE 5.3: «WÄCHTER»**

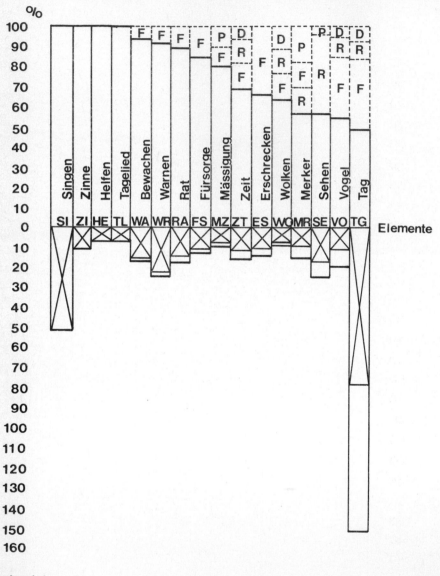

absolut

UK 76

## LISTE 5.4:«FRAU»

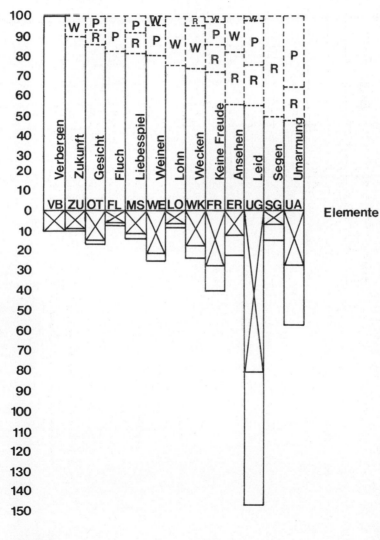

absolut

UK76

## LISTE 5.5: «RITTER»

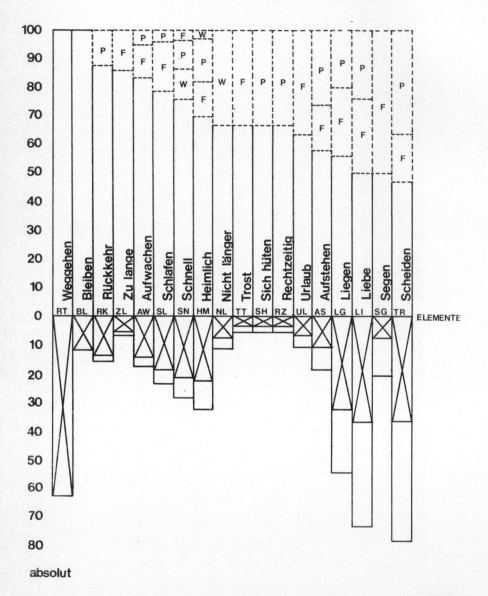

absolut

LISTE  5.6

VERHÄLTNIS FIGUR : FIGUR
AUF BASIS DER ELEMENTE

LEGENDE :

| | | |
|---|---|---|
| Rubrik I | : | Sigle des Elementes |
| Rubrik II | : | Gesamtsumme/Summe der Verhältnisse |
| EL | : | Element |
| W | : | Wächter |
| F | : | Frau |
| R | : | Ritter |
| P | : | Paar |
| - | : | linksstehend aktiv in Richtung auf rechtsstehend |
| : | : | linksstehend über mittlere auf rechtsstehend |

| EL | Sa. | W-F | W-R | W-P | W:F:R | W:R:F | F-W | F-R | R-F | R-W | P-W |
|----|------|-----|-----|-----|-------|-------|-----|-----|-----|-----|-----|
| EO | 1/ 1 | | | | | | | 1 | | | |
| BU | 1/ 0 | | | | | | | | | | |
| DB | 1/ 0 | | | | | | | | | | |
| RU | 3/ 3 | | | | | | | | 3 | | |
| RT | 63/38 | | 14 | | 3 | | | 17 | 4 | | |
| HI | 3/ 3 | | 2 | | | | | 1 | | | |
| BL | 12/11 | | 1 | | 2 | | | 8 | | | |
| GT | 4/ 3 | | | | | | | 1 | 2 | | |
| ZÖ | 7/ 7 | 2 | 2 | 3 | | | | | | | |
| UA | 58/36 | | | 3 | 3 | | | 20 | 10 | | |
| TR | 79/55 | 2 | 15 | 12 | | 2 | 1 | 13 | 10 | | |
| SL | 24/16 | 1 | 2 | | 2 | | | 11 | | | |
| TD | 6/ 4 | 1 | 1 | | | | | 1 | 1 | | |
| OT | 17/ 2 | | | | | | | 1 | 1 | | |
| MS | 13/ 5 | | | 2 | | | | 1 | 2 | | |
| MH | 10/ 4 | | | 1 | | | | 2 | 1 | | |
| LL | 23/ 6 | 1 | 4 | 1 | | | | | | | |
| LI | 74/55 | 1 | 17 | 11 | 2 | | 1 | 11 | 12 | | |
| LH | 3/ 0 | | | | | | | | | | |
| LG | 59/46 | 1 | 14 | 5 | 2 | | | 13 | 11 | | |
| KU | 34/23 | 1 | | | | 1 | | 8 | 13 | | |
| HZ | 20/15 | | | | 1 | 1 | | 7 | 6 | | |
| FL | 7/ 1 | | | | | | 1 | | | | |
| FE | 4/ 0 | | | | | | | | | | |
| AS | 19/12 | 1 | 7 | | | | | 4 | | | |
| AW | 18/15 | 1 | 7 | 1 | | | | 5 | 1 | | |
| KW | 2/ 1 | | | | | | | | 1 | | |
| SW | 3/ 1 | | | 1 | | | | | | | |
| RK | 16/ 8 | | 2 | | | | | 5 | 1 | | |
| SH | 6/ 5 | | 4 | 1 | | | | | | | |
| VM | 5/ 0 | | | | | | | | | | |

| EL | Sa. | W-F | W-R | W-P | W:F:R | W:R:F | F-W | F-R | R-F | R-W | P-W |
|----|-----|-----|-----|-----|-------|-------|-----|-----|-----|-----|-----|
| FU | 53/26 | | 10 | 10 | 1 | 1 | | | 3 | | 1 |
| ZT | 16/ 4 | 2 | | | | | | | 2 | | |
| ZF | 8/ 4 | | | | | | 3 | 1 | | | |
| WO | 8/ 0 | | | | | | | | | | |
| ST | 16/ 0 | | | | | | | | | | |
| NA | 27/ 0 | | | | | | | | | | |
| MZ | 10/ 0 | | | | | | | | | | |
| HG | 6/ 0 | | | | | | | | | | |
| BM | 5/ 0 | | | | | | | | | | |
| WK | 25/24 | | 1 | 1 | 13 | | 2 | 4 | 3 | | |
| VO | 20/ 1 | | | | | | 1 | | | | |
| UG | 147/41 | 4 | 4 | 11 | | | 8 | 5 | 8 | 1 | |
| TW | 25/16 | | 3 | | 1 | | 3 | 4 | 5 | | |
| TG | 163/23 | 2 | 5 | | | 1 | 9 | 3 | 3 | | |
| SP | 67/36 | 2 | 2 | 1 | | | 5 | 16 | 8 | 2 | |
| SO | 26/11 | | 4 | 4 | | | | 2 | 1 | | |
| SN | 29/ 3 | | | 1 | | | | 2 | | | |
| SE | 32/ 5 | | | | | | 3 | 1 | 1 | | |
| RA | 19/15 | | 4 | 9 | | | 1 | 1 | | | |
| MR | 16/ 4 | 1 | 3 | | | | | | | | |
| MO | 25/ 2 | | | | | | 2 | | | | |
| HÖ | 18/17 | 2 | | 2 | | | 6 | 2 | 3 | 2 | |
| FR- | 40/ 7 | 2 | 1 | 1 | | | 2 | 1 | | | |
| FR+ | 18/ 7 | 1 | 2 | 1 | | | | 2 | 4 | | |
| ER | 22/15 | 5 | 2 | 1 | | 1 | | 2 | 4 | | |
| WE | 25/ 3 | 1 | | | | | | 1 | 1 | | |
| HM | 33/23 | 1 | 12 | 3 | 3 | 1 | | | 6 | | |
| ZO | 2/ 2 | 2 | | | | | | | | | |
| VB | 10/10 | | | | | | 1 | 8 | 1 | | |
| MD | 2/ 0 | | | | | | | | | | |
| BE | 1/ 0 | | | | | | | | | | |
| GB | 3/ 3 | | | | | | | | 3 | | |
| AL | 3/ 1 | | | | | | | 1 | | | |
| BS | 1/ 1 | | | | | | | 1 | | | |
| GH | 2/ 2 | | | | | | 2 | | | | |

| EL | Sa. | W-F | W-R | W-P | W:F:R | W:R:F | F-W | F-R | R-F | R-W | P-W |
|----|-----|-----|-----|-----|-------|-------|-----|-----|-----|-----|-----|
| KE | 1/ 1 | | | | | | | 1 | | | |
| KL | 2/ 1 | | | | | | | 1 | | | |
| HE | 7/ 7 | | 6 | | | | 1 | | | | |
| HR | 7/ 0 | | | | | | | | | | |
| LÜ | 1/ 1 | | | | | | 1 | | | | |
| SI | 51/14 | | | | | | 11 | | | 3 | |
| TA | 1/ 0 | | | | | | | | | | |
| TL | 7/ 2 | | | | | | 1 | | | 1 | |
| ZI | 11/ 2 | | | | | | 2 | | | | |
| EK | 3/ 1 | | | | | | 1 | | | | |
| ZU | 10/ 3 | | | 1 | | | | 1 | 1 | | |
| WR | 25/13 | 1 | 4 | 5 | | | 1 | | 2 | | |
| WA | 18/12 | 1 | 5 | 3 | 1 | | 2 | | | | |
| LO | 9/ 6 | | | | | | 6 | | | | |
| FS | 13/11 | 4 | 3 | 2 | 1 | | | 1 | | | |
| FE | 4/ 0 | | | | | | | | | | |
| ES | 15/11 | 2 | | 1 | | | 8 | | | | |
| WU | 2/ 1 | | | 1 | | | | | | | |
| PA | 3/ 0 | | | | | | | | | | |
| TI | 4/ 0 | | | | | | | | | | |
| NL | 12/ 6 | | 4 | | 1 | | | 1 | | | |
| NE | 2/ 1 | | | | | | | | | 1 | |
| LE | 6/ 5 | 1 | 2 | | | 1 | | | | 1 | |
| DI | 4/ 3 | 1 | | 1 | | | | | | 1 | |
| ZL | 7/ 5 | | 5 | | | | | | | | |
| UL | 11/ 5 | | 1 | | 1 | 1 | | | 2 | | |
| TT | 6/ 6 | | | | | | | 4 | 2 | | |
| SG | 16/13 | | | | | 2 | | 5 | 6 | | |
| MI | 5/ 5 | | | | | | | 2 | 3 | | |
| GL | 5/ 5 | | 2 | | | | 3 | | | | |
| EB | 2/ 1 | | | | | | | 1 | | | |
| DA | 2/ 2 | | | | | | | 1 | 1 | | |
| BV | 5/ 5 | | | | | | | 4 | 1 | | |
| GW | 1/ 1 | | | | | | | | | 1 | |

| EL | Sa. | W-F | W-R | W-P | W:F:R | W:R:F | F-W | F-R | R-F | R-W | P-W |
|----|-----|-----|-----|-----|-------|-------|-----|-----|-----|-----|-----|
| RZ | 6/ 5 | | 4 | 1 | | | | | | | |

---

| | | | | | | | | | | | |
|----|-----|-----|-----|-----|-------|-------|-----|-----|-----|-----|-----|
| 101 | 1802/839 | 47 | 181 | 101 | 35 | 11 | 88 | 210 | 153 | 12 | 1 |

LISTE   5.7

Zusammenfassung der Ergebnisse
aus den LISTEN   5.1   -   5.6 :

|  | W | F | R | P | D |
|---|---|---|---|---|---|
| Figur : Element (LISTE 5.1) = i | 24.3% | 31.9% | 30.7% | 11.6% | 1.5% |
| Tatsächliche Aktivität (LISTE 5.2) = j | 38.5% | 34.5% | 18.5% | 6.5% | 2.5% |
| Figur : Figur (LISTE 5.6) = k | 12.0% | 25.3% | 50.7% | 12.0% | 0.0% |

LISTE 5.8

VERHÄLTNIS FIGUR : KONSTITUENTE

LEGENDE :

   abs. : absolut

| KONSTITUENTE | WÄCHTER abs. | % | FRAU abs. | % | RITTER abs. | % | PAAR abs. | % | DICHTER abs. | % |
|---|---|---|---|---|---|---|---|---|---|---|
| 1. Erotik | -.- | | 113 | 39.0 | 110 | 37.9 | 67 | 23.1 | -.- | |
| 2. Naturerscheinungen | 136 | 48.3 | 87 | 30.0 | 38 | 13.5 | 2 | 0.7 | 20 | 7.0 |
| 3. Gefahr | 28 | 15.4 | 25 | 13.7 | 93 | 51.1 | 36 | 19.8 | -.- | |
| 4. Leid/Trauer | 14 | 5.2 | 156 | 57.8 | 46 | 17.0 | 54 | 20.0 | -.- | |
| 5. Auseinandergehen | -.- | | 17 | 11.1 | 107 | 69.9 | 29 | 19.0 | -.- | |
| 6. Weckvorgang | 95 | 70.0 | 30 | 22.4 | 8 | 6.0 | 1 | 0.7 | -.- | |
| 7. Höfisch-minnesangliche Elemente | 32 | 26.2 | 38 | 31.1 | 40 | 32.8 | 7 | 5.8 | 5 | 4.1 |
| 8. Hilfe/Fürsorge | 75 | 91.5 | 7 | 8.5 | -.- | | -.- | | -.- | |
| 9. Sprechen | 27 | 40.3 | 30 | 44.7 | 10 | 15.0 | -.- | | -.- | |
| 10. Aufstehen | 1 | 1.8 | 13 | 23.3 | 33 | 60.0 | 8 | 14.6 | -.- | |
| 11. Abschied | 1 | 2.2 | 14 | 30.4 | 29 | 63.1 | 2 | 4.3 | -.- | |
| 12. Gebäude/Landschaft | 19 | 52.8 | 9 | 25.0 | 6 | 16.7 | -.- | | 2 | 5.5 |
| 13. Segen | 1 | 2.9 | 14 | 41.2 | 18 | 53.0 | 1 | 2.9 | -.- | |
| 14. Reflex auf Wecken | 6 | 24.0 | 16 | 64.0 | 3 | 12.0 | -.- | | -.- | |
| 15. Schlafen | -.- | | 4 | 16.7 | 19 | 79.2 | 1 | 4.1 | | |

LISTE 5.9

DIAGRAMM :  VERHÄLTNIS FIGUR ⌐ KONSTITUENTE.


ERLÄUTERUNG:

Verzeichnet wird der prozentuale Anteil.

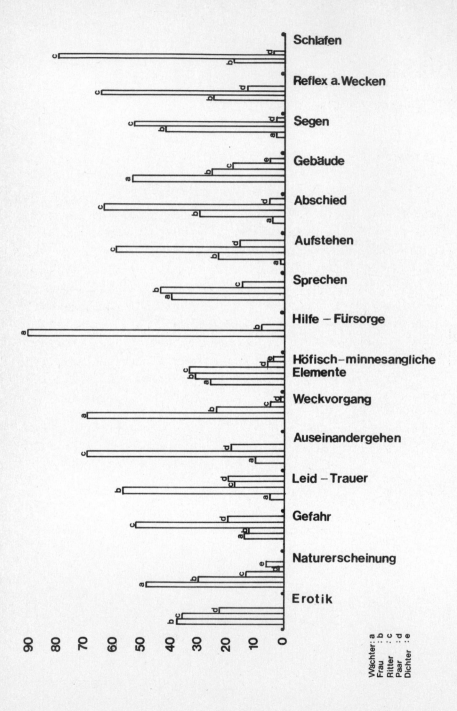

LISTE 6

TAXOMETRISCHE KLASSIFIKATION DER LIEDER


ERLÄUTERUNG :

    Als Objekte für die taxometrische Klassifikation kamen
natürlich nur die vollständigen Lieder in Frage, da bei den
Fragmenten keine Aussage über alle Elemente möglich ist.
Um ein möglichst differenziertes Ergebnis zu erhalten, wurde
auf die Elemente zurückgegriffen, so daß die Ähnlichkeiten
in einem eng begrenzten Inhaltsbereich ermittelt werden. Ge-
wertet werden in diesem Verfahren sowohl die Gemeinsamkeiten
im Bereich "Element vorhanden" als auch im Bereich "Element
nicht vorhanden". Der Datenausdruck wird in einer Abschrift
geboten, in der die Siglen der Lieder wieder eingesetzt
sind und einige Abkürzungen bei Wiederholungen vorgenommen
wurden.


LEGENDE :


       G      : Gruppe
       GN     : Gruppen
       NVV    : nach Vereinigung von
       F      : Ähnlichkeitsgrad
             ( 5.0000  =  ca. 89%
              24.0687  =  ca. 54%)

PSYCHOLOGISCHES INSTITUT MARBURG
HIERARCHISCHE KLASSIFIKATION NACH VELDMAN, FASSUNG VOM 16.5.69
TAXOMETRISCHE KLASSIFIKATION VON LIEDERN

PARAMETER

SPALTEN  1 -  5 = 90
SPALTEN  6 - 10 = 45
SPALTEN 11 - 15 = 10
SPALTEN 16 - 20 =  0
SPALTEN 21 - 25 =  0


44 GN NVV G  UvL 36  (N=1) u.G   UvW 28  (N=1) F :  5.0000
43 GN NVV G   JH 14  (N=1) u.G    WB     (N=1) F :  5.5000
42 GN NVV G  WvE  1  (N=1) u.G   WvE  7  (N=1) F :  7.0000
41 GN NVV G   HB     (N=1) u.G   OvB  3  (N=1) F :  7.5000
40 GN NVV G  Wiz  3  (N=1) u.G   Wiz  4  (N=1) F :  7.5000
39 GN NVV G  UvL 36  (N=1) u.G   UvS  9  (N=1) F :  7.6667
38 GN NVV G  Rub     (N=1) u.G   UvW  7  (N=1) F :  8.0000
37 GN NVV G  UvW 13  (N=1) u.G   Wiz  1  (N=1) F :  8.5000
36 GN NVV G  BvH     (N=1) u.G    JH 34  (N=1) F :  9.0000
35 GN NVV G  Lüz  2  (N=1) u.G   UvW 27  (N=1) F :  9.0000
34 GN NVV G   HT     (N=1) u.G   Wiz  3  (N=1) F :  9.1667
33 GN NVV G  KvW 15  (N=1) u.G    N 25   (N=1) F :  9.5000
32 GN NVV G  UvW 13  (N=1) u.G   Wiz  2  (N=1) F :  9.5000
31 GN NVV G   JH 50  (N=1) u.G   Lüz  2  (N=1) F :  9.6667
30 GN NVV G  DvE     (N=1) u.G   WvR     (N=1) F : 10.0000
29 GN NVV G  KvH     (N=1) u.G   KvW 14  (N=1) F : 10.0000
28 GN NVV G  Lüz  1  (N=1) u.G    N 26   (N=1) F : 10.0000
27 GN NVV G  BvH     (N=1) u.G   Lüz  1  (N=1) F : 11.0000
26 GN NVV G  HF      (N=1) u.G   JvW     (N=1) F : 11.0000
25 GN NVV G  UvS 14  (N=1) u.G   WvB     (N=1) F : 11.0000
24 GN NVV G   JH 14  (N=1) u.G    JH 50  (N=1) F : 11.0333
23 GN NVV G  HvF     (N=1) u.G    HT     (N=1) F : 11.3333
22 GN NVV G  UvW 13  (N=1) u.G   UvW 29  (N=1) F : 11.7500
21 GN NVV G   JH 33  (N=1) u.G   Mar  2  (N=1) F : 12.0000
20 GN NVV G  OvB 13  (N=1) u.G   Uvl 40  (N=1) F : 12.0000

```
19 GN NVV G  WvE   2  (N=1) u.G   WvE   5  (N=1) F : 12.5000
18 GN NVV G  Rub      (N=1) u.G   UvL  36  (N=1) F : 12.9333
17 GN NVV G   N 27    (N=1) u.G   WV       (N=1) F : 13.0000
16 GN NVV G  DvE      (N=1) u.G   Mar   2  (N=1) F : 13.3333
15 GN NVV G  JH 33    (N=1) u.G   KvH      (N=1) F : 14.0000
14 GN NVV G  OvB   3  (N=1) u.G   UvS  14  (N=1) F : 14.5000
13 GN NVV G  Rub      (N=1) u.G   WvE   1  (N=1) F : 15.1143
12 GN NVV G  KvW  15  (N=1) u.G   UvW  13  (N=1) F : 15.4167
11 GN NVV G  DvE      (N=1) u.G    N 27    (N=1) F : 16.0667


10 GN NVV G  BvH      (N=4) u.G    HF       (N=2) F : 17.0000
    G  1(N=6)  BvH, HF, JvW, JH 34, Lüz 1, N 26
    G  2(N=5)  DvE, Mar 3, N 27, WV, WvR
    G  3(N=4)  HvF, HT, Wiz 3, Wiz 4
    G  6(N=2)  HB, OvB 3
    G  8(N=5)  JH 14, JH 50, Lüz 2, UvW 27, WB
    G  9(N=4)  JH 33, KvH, KvW 14, Mar 2
    G14(N=6)   KvW 15, N 25, UvW 13, UvW 29,
               Wiz 1, Wiz 2
    G23(N=4)   OvB 13, UvL 40, UvS 14, WvB
    G24(N=7)   Rub, UvL 36, UvS 9, UvW 7, UvW 28,
               WvE 1, WvE 7
    G43(N=2)   WvE 2, WvE 5


 9 GN NVV G     8    (N=5) u.G     3    (N=4) F : 17.0222
 8 GN NVV G     1    (N=6) u.G    43    (N=2) F : 18.3750
 7 GN NVV G   3+8    (N=9) u.G    23    (N=4) F : 18.4316
 6 GN NVV G     2    (N=5) u.G     9    (N=4) F : 19.1556
 5 GN NVV G    14    (N=6) u.G    24    (N=7) F : 19.7729
 4 GN NVV GN  1+43   (N=8) u.GN  2+9    (N=9) F : 22.1577
 3 GN NVV GN  3+8+23 (N=13)u.GN  14+24  (N=13)F : 22.2308
 2 GN NVV GN <3+8+14  (N=26) u.G    6    (N=2) F : 24.0687
             ⟨+23+24⟩
```

WICHTIGSTE ERGEBNISSE:

1. Bei ca. 77.5% Übereinstimmung (F: 17.0000) ergeben sich
   zehn Gruppen, die hier der Übersicht halber und zum besseren Verständnis des Datenausdrucks weiter entschlüsselt
   und mit der Zeitgruppe gekennzeichnet werden.

| | | |
|---|---|---|
| Gruppe 1 : | Bruno von Hornberg | B |
| | Heinrich Frauenlob | C |
| | Jakob von Warte | X |
| | Johannes Hadlaub | C |
| | Luithold von Savene | X |
| | Namenlos 26 | X |
| Gruppe 2 : | Dietmar von Aist | A |
| | Marner 3 | B |
| | Namenlos 27 | X |
| | Walther v.d. Vogelweide | A |
| | Wizlaw von Rügen | C |
| Gruppe 3 : | Heinrich von Frauenberg | C |
| | Heinrich Teschler | C |
| | Wizzenlo 3 | X |
| | Wizzenlo 4 | X |
| Gruppe 6 : | Markgraf von Hohenburg | B |
| | Otto von Botenlauben 3 | A |
| Gruppe 8 : | Johannes Hadlaub 14 | C |
| | Johannes Hadlaub 50 | C |
| | Burggraf von Lüenz | B |
| | Ulrich von Winterstetten 27 | B |
| | Walter von Breisach | C |
| Gruppe 9 : | Johannes Hadlaub 33 | C |
| | Kristan von Hamle | X |
| | Konrad von Würzburg 14 | C |
| | Marner 2 | B |
| Gruppe 14 : | Konrad von Würzburg | C |
| | Namenlos 25 | X |

|  | | Ulrich von Winterstetten 13 | B |
|--|--|--|--|
|  | | Ulrich von Winterstetten 29 | B |
|  | | Wizzenlo 1 | X |
|  | | Wizzenlo 2 | X |
| Gruppe 23 | : | Otto von Botenlauben 13 | A |
|  | | Ulrich von Lichtenstein 40 | B |
|  | | Ulrich von Singenberg 14 | B |
|  | | Wenzel von Böhmen | C |
| Gruppe 24 | : | Rubin | X |
|  | | Ulrich von Lichtenstein 36 | B |
|  | | Ulrich von Singenberg 9 | B |
|  | | Ulrich von Winterstetten 7 | B |
|  | | Ulrich von Winterstetten 28 | B |
|  | | Wolfram von Eschenbach 1 | A |
|  | | Wolfram von Eschenbach 7 | A |
| Gruppe 43 | : | Wolfram von Eschenbach 2 | A |
|  | | Wolfram von Eschenbach 5 | A |

2. Nur zwei Gruppen (2 und 23) enthalten alle vier bzw. drei Zeiteinteilungen, ansonsten kommen nur die beieinanderliegenden Zeitgruppen in einer taxometrischen Gruppe vor.

3. Wolframs von Eschenbach Lieder weisen eine, relativ zur These von Erfindung bzw. Beeinflussung, geringe Kongruenz zu den übrigen Tageliedern auf, bei gleichzeitig h o h e r Binnenkongruenz (vgl. Gruppe 41 und 19). Die taxometrische Klassifikation kann also auch die poetische Einmaligkeit anzeigen.

4. Hohenburg und Botenlauben 3 haben hohe Kongruenz (F: 7.5000 !), werden aber erst bei F: 24.0687 an die anderen Lieder angeschlossen.

5. Bei aller zu veranschlagenden Unschärfe muß doch die Integration von MF 39.18 (vgl. Gruppe 2) als signifikant angesehen werden, so daß dieses Lied nicht außerhalb der Gattungsnorm gestellt werden sollte.

## 3.3. Zusammenfassung der inhalts-
### analytischen Ergebnisse

Die Inhaltsanalyse wurde wegen einer größeren Genauigkeit und Übersichtlichkeit durchgeführt (vgl. Kapitel 1). Unsere Zusammenfassung kann und wird also nicht jedes Detail aufnehmen, weil hierzu auf die Listen verwiesen werden kann. D.h. nicht, daß diese Details von uns für unwichtig erachtet werden, im Gegenteil. Die Anschlußmöglichkeiten zur übrigen Lyrik der mittelhochdeutschen Zeit sind gegeben, aber auch zum Tagelied in der Weltliteratur. Gerade für die Konstituente "Erotik" im sogenannten Hohen Minnesang würde ein Herausarbeiten der Elemente gewiß manche literarhistorische These relativieren.

Uns kann es im Rahmen dieser Arbeit natürlich nur um die Ergebnisse aus Kapitel 3.2 gehen, die ja die in Kapitel 2 hypothetisch angesetzte Formel zu einer endgültigen machen sollen. Bevor wir jedoch diese Formel erstellen, sollen die Ergebnisse zu den Kategorien für sich, der besseren Übersicht wegen und als Erläuterung der Formel, einzeln aufgeführt werden. Im Anschluß an diese Formel wird eine kurze, informelle Beschreibung des mittelhochdeutschen Tageliedes gegeben, die nur die allerwichtigsten Ergebnisse darlegt und mitnichten die erarbeiteten Differenzierungen ersetzen kann und soll.

### 3.3.1. Übersicht

Auf der Grundlage des Corpus ergibt sich folgendes Modell des mittelhochdeutschen höfischen Tageliedes.

(1.)     Die Kategorie A (Inhalt) (vgl. Formel 5, Kap.2) besteht aus 20 Konstituenten, die in zwei Gruppen aufzuteilen sind.

(1.2)    Die erste Gruppe besteht aus 15 Konstituenten, und zwar:
         (10) EROTIK                                    (16.1%)
         (11) NATURERSCHEINUNGEN                         (15.6%)

```
(12) LEID/TRAUER                               (15.0%)
(13) GEFAHR                                    (10.1%)
(14) AUSEINANDERGEHEN                          ( 8.5%)
(15) WECKVORGANG                               ( 7.4%)
(16) HÖFISCH-MINNESANGLICHE ELEMENTE           ( 6.8%)
(17) HILFE/FÜRSORGE                            ( 4.6%)
(18) SPRECHEN                                  ( 3.7%)
(19) AUFSTEHEN                                 ( 3.0%)
(20) ABSCHIED                                  ( 2.6%)
(21) GEBÄUDE/LANDSCHAFT                        ( 2.0%)
(22) SEGEN                                     ( 1.9%)
(23) REFLEX AUF WECKEN                         ( 1.4%)
(24) SCHLAFEN                                  ( 1.3%)
```

(1.3)   Die zweite Gruppe besteht aus 5 Figuren:

(1) Wächter   (W)
(2) Frau      (F)
(3) Ritter    (R)
(4) Paar      (P)
(5) Dichter   (D)

Sie sind, wie folgt, näher zu beschreiben (Ergebnisse aus den LISTEN 5.7i, j, k und 5.8; für LISTE 5.8 gilt: Verhältnis Figur : Konstituente p o s i t i v s i g n i f i k a n t bei einem Prozentanteil von ≧ 40, n e u t r a l , wenn gleiche Verteilung, n e g a t i v  s i g n i f i k a n t bei einem Prozentanteil von ≦ 15):

(1.3.1) W (i=24.3 % / j=35.5 % / k=12.0 %)

+ HELFEN
+ WECKEN
+ GEBÄUDE / LANDSCHAFT
+ NATURERSCHEINUNGEN
+ SPRECHEN
O HÖFISCH-MINNESANGLICHE ELEMENTE
- LEID
- EROTIK
- SEGEN

- ABSCHIED
- AUFSTEHEN
- SCHLAFEN
- AUSEINANDERGEHEN
- GEFAHR

(1.3.2)  F (i=31.9 % / j=34.5 % / k=25.3 %)

+ SPRECHEN
+ REFLEX
+ LEID
+ EROTIK
+ SEGEN
O HÖFISCH-MINNESANGLICHE ELEMENTE
- HELFEN
- AUSEINANDERGEHEN
- GEFAHR

(1.3.4)  R (i=30.7 % / j=18.0 % / k=50.7 %)

+ EROTIK
+ SEGEN
+ ABSCHIED
+ AUFSTEHEN
+ SCHLAFEN
+ AUSEINANDERGEHEN
+ GEFAHR
O HÖFISCH-MINNESANGLICHE ELEMENTE
- HILFE / FÜRSORGE
- WECKVORGANG
- NATURERSCHEINUNGEN
- REFLEX AUF WECKEN

(1.3.5)  P und D werden hierbei nicht berücksichtigt, da sie
sich in keinem Signifikanzbereich befinden.

(2.)  In der Kategorie B (Reimschema) treten im Vergleich
mit der übrigen Lyrik der Zeit keine signifikanten
Unterschiede auf[1]. Ein Erarbeiten der Konstituenten
dieser Kategorie kann im vorgegebenen Rahmen nicht

---

1) Vgl. K.H.Borck (1959) S.165.

geleistet werden.

(3.)    Hinsichtlich der Strophik (Kategorie C) ergeben sich
aus der LISTE 2 folgende Konstituenten und Realisationen (Fragmente nicht gezählt):

1 - strophig :    1 ( 2.2 %)
2 - strophig :    1 ( 2.2 %)
3 - strophig :   32 (71.2 %)
4 - strophig :    4 ( 8.9 %)
5 - strophig :    4 ( 8.9 %)
6 - strophig :    1 ( 2.2 %)
7 - strophig :    2 ( 4.4 %)

Refrain      :    3 ( 6.6 %)

(4.)    Für die vierte Kategorie D (Versmaße) gilt das gleiche wie für die Kategorie B.


Die literarischen Texte der Gattung Tagelied in der genannten Epoche sind mit diesen Kategorien  z u r e i c h e n d
abgegrenzt und beschrieben. Von hier aus ist es möglich, Vergleiche mit anderen Texten anzustellen, wobei sich die eine
oder andere Kategorie für eine  v o l l s t ä n d i g e  Beschreibung noch als notwendig erweisen könnte (z.B. die Kategorie Musik/Melodie), ohne daß wir das jetzt zu berücksichtigen brauchen, da die Inhaltsanalyse unsere Annahme von der Dominanz der Kategorie Inhalt durch die signifikante Häufung von
gleichartigen Konstituentenrealisationen bestätigt hat. Es sei
darauf hingewiesen, daß Anschlußmöglichkeiten von Ergebnissen
aus Untersuchungen über andere Texte nur auf dem Niveau dieser
Definition gegeben sind.


3.3.2.  Formale Definition des mittelhochdeutschen
        Tageliedes

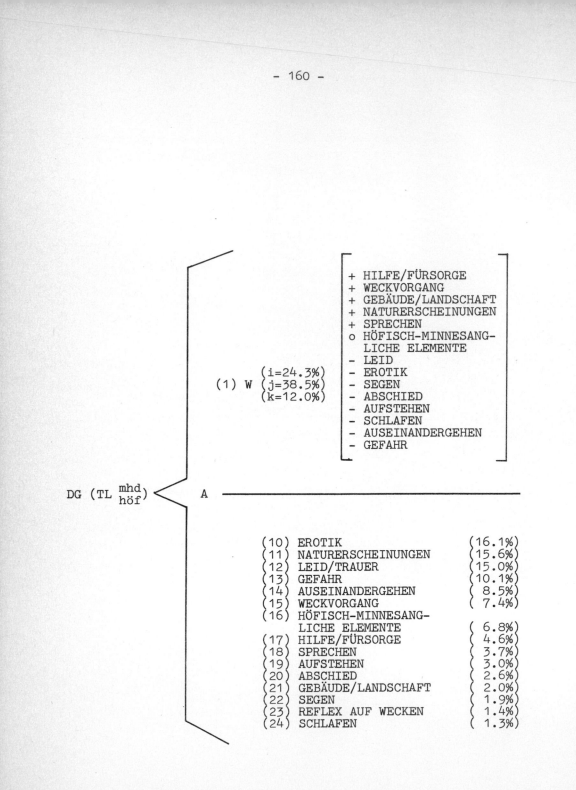

$$DG \; (TL \, {}^{mhd}_{höf})$$

(1) W $\begin{pmatrix} i=24.3\% \\ j=38.5\% \\ k=12.0\% \end{pmatrix}$

```
+ HILFE/FÜRSORGE
+ WECKVORGANG
+ GEBÄUDE/LANDSCHAFT
+ NATURERSCHEINUNGEN
+ SPRECHEN
o HÖFISCH-MINNESANG-
  LICHE ELEMENTE
- LEID
- EROTIK
- SEGEN
- ABSCHIED
- AUFSTEHEN
- SCHLAFEN
- AUSEINANDERGEHEN
- GEFAHR
```

A

| | | |
|---|---|---|
| (10) | EROTIK | (16.1%) |
| (11) | NATURERSCHEINUNGEN | (15.6%) |
| (12) | LEID/TRAUER | (15.0%) |
| (13) | GEFAHR | (10.1%) |
| (14) | AUSEINANDERGEHEN | ( 8.5%) |
| (15) | WECKVORGANG | ( 7.4%) |
| (16) | HÖFISCH-MINNESANG-LICHE ELEMENTE | ( 6.8%) |
| (17) | HILFE/FÜRSORGE | ( 4.6%) |
| (18) | SPRECHEN | ( 3.7%) |
| (19) | AUFSTEHEN | ( 3.0%) |
| (20) | ABSCHIED | ( 2.6%) |
| (21) | GEBÄUDE/LANDSCHAFT | ( 2.0%) |
| (22) | SEGEN | ( 1.9%) |
| (23) | REFLEX AUF WECKEN | ( 1.4%) |
| (24) | SCHLAFEN | ( 1.3%) |

$$(2) \; F \; \begin{array}{l} (i=31.9\%) \\ (j=34.5\%) \\ (k=25.3\%) \end{array} \begin{bmatrix} + \text{ SPRECHEN} \\ + \text{ REFLEX AUF WECKEN} \\ + \text{ LEID/TRAUER} \\ + \text{ EROTIK} \\ + \text{ SEGEN} \\ o \text{ HÖFISCH-MINNESANG-} \\ \phantom{o} \text{ LICHE ELEMENTE} \\ - \text{ HILFE/FÜRSORGE} \\ - \text{ AUSEINANDERGEHEN} \\ - \text{ GEFAHR} \end{bmatrix} ,$$

$$
(3)\ R\ 
\begin{pmatrix} i=30.7\% \\ j=18.0\% \\ k=50.7\% \end{pmatrix}
\begin{bmatrix}
+ \text{ EROTIK} \\
+ \text{ SEGEN} \\
+ \text{ ABSCHIED} \\
+ \text{ AUFSTEHEN} \\
+ \text{ SCHLAFEN} \\
+ \text{ AUSEINANDERGEHEN} \\
+ \text{ GEFAHR} \\
\text{o HÖFISCH-MINNESANG-} \\
\quad \text{LICHE ELEMENTE} \\
- \text{ HILFE/FÜRSORGE} \\
- \text{ WECKVORGANG} \\
- \text{ NATURERSCHEINUNGEN} \\
- \text{ REFLEX AUF WECKEN}
\end{bmatrix}
,\ (4)\ P\ \ldots,\ (5)\ D\ \ldots
$$

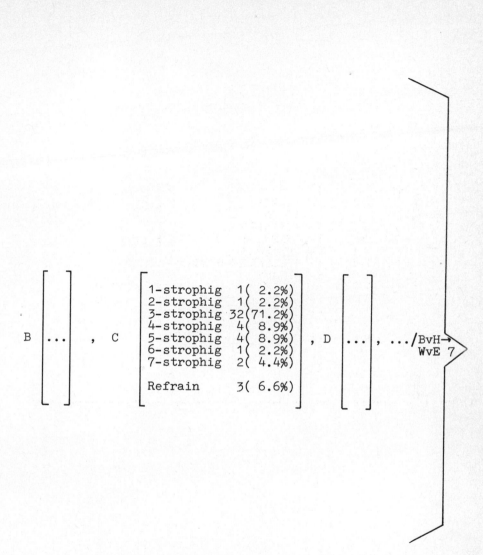

$$
B \begin{bmatrix} \cdots \end{bmatrix} , \ C \begin{bmatrix} \begin{array}{ll} \text{1-strophig} & 1(\ 2.2\%) \\ \text{2-strophig} & 1(\ 2.2\%) \\ \text{3-strophig} & 32(71.2\%) \\ \text{4-strophig} & 4(\ 8.9\%) \\ \text{5-strophig} & 4(\ 8.9\%) \\ \text{6-strophig} & 1(\ 2.2\%) \\ \text{7-strophig} & 2(\ 4.4\%) \\ \\ \text{Refrain} & 3(\ 6.6\%) \end{array} \end{bmatrix} , \ D \begin{bmatrix} \cdots \end{bmatrix} , \ \cdots / \begin{array}{l} \text{BvH} \rightarrow \\ \text{WvE 7} \end{array}
$$

3.3.3.  Kurze, informelle Beschreibung des mittelhoch-
        deutschen Tageliedes

Innerhalb der weltliterarischen Gattung 'Tagelied' (wich-
tigstes Kennzeichen: Abschied zweier Liebender am Morgen)
kann das mittelhochdeutsche Tagelied insbesondere durch die
Inhaltskategorie (s. Kap. 2.3.2) folgendermaßen bestimmt
werden:

(1) Die Inhaltskategorie des mhd. Tageliedes wird in der
    Hauptsache durch die personalen Konstituenten 'Wächter',
    'Frau' und 'Ritter' und durch sieben inhaltlichen Konsti-
    tuenten 'Erotik', 'Naturerscheinungen', 'Leid/Trauer',
    'Gefahr' (+'Hilfe/Fürsorge'), 'Auseinandergehen' (+ 'Ab-
    schied'), 'Weckvorgang' (+ 'Aufstehen', 'Reflex auf Wek-
    ken') und 'Höfisch-minnesangliche Elemente' (igs. 91.1 %;
    vgl. LISTE 4.1) bestimmt.

(2) Hierbei ist eine eigentümliche Rollenverteilung der per-
    sonalen Konstituenten zu beobachten. 'Ritter' und 'Frau'
    sind deutlich Hauptpersonen des Geschehens (LISTE 5.1),
    mit dem Unterschied, daß 'Ritter' zudem noch Objekt der
    Bemühungen von 'Wächter' und 'Frau' (LISTE 5.6) ist,
    während 'Ritter' als weitgehend passiv dargestellt wird
    (LISTE 5.2).

(3) Die inhaltlichen Hauptkonstituenten verteilen sich über-
    wiegend oder gänzlich auf folgende Personen (LISTE 5.8):

    'Erotik                : 'Frau' + 'Ritter' (= P)
    'Naturerscheinungen' : 'Wächter'
    'Gefahr'               : 'Ritter'
    'Leid'                 : 'Frau'
    'Auseinandergehen'     : 'Ritter'
    'Wecken'               : 'Wächter'

(4) Der Versuch, eine zeitliche Differenzierung festzustel-
    len, ergab keine hochsignifikanten Unterschiede bei den
    Hauptkonstituenten, dafür aber deutliche im Restbereich.
    Diese Homogenität wird auch durch die taxometrische Ana-

lyse bestätigt und läßt auf eine klar umrissene G a t - t u n g s n o r m  schließen. Als bedeutsam können die Differenzen zwischen Zeitkategorie A und B bei den Konstituenten 'Auseinandergehen' + 'Abschied' (A verzeichnet hier ein plus) und die Differenz zwischen A und B einerseits und C andererseits bei der Konstituente 'Höfisch-Minnesangliche Elemente' (C verzeichnet hier ein deutliches minus) angesehen werden.

(5) Zu der Diskussion um Wolfram von Eschenbach und seine Stellung innerhalb der Tageliedgestaltung fällt auf, daß seine Lieder, obwohl er als 'Begründer' des Tageliedes angesehen wird, relativ geringe Übereinstimmung mit den anderen, nachfolgenden Tageliedern aufweisen, bei gleichzeitig hoher Binnenkongruenz (vgl. Position 42 und 19 gegenüber Position 13 in der LISTE 6).

4. Diskussion literar-
historischer Probleme

4.0.  V o r b e m e r k u n g

Von den Problemen, die in Kapitel 1 genannt wurden, können
die Definition und die Materialdarstellung als abgeschlossen
gelten, nicht hingegen die literarhistorischen Fragen,obwohl
auch von diesen einige sich entweder aus der Materialdarstellung beantworten lassen oder schon durch falsche Fragestellung von selbst erledigen. Ersteres betrifft vor allem die
Frage nach den Gruppierungen, die ja durch die LISTE 6 beantwortet wird, wobei noch anzumerken ist, daß die Frage nach
'Abhängigkeiten' - in dem Sinne, daß ein Autor von einem anderen Konstituenten oder Elemente übernommen habe - in dieser
Weise natürlich nicht beantwortet werden kann, denn sie ent-
springt einem biographischen-psychologischen Ansatz, der in
der Literaturwissenschaft grundsätzlich als mißlich, im speziellen Fall der mittelhochdeutschen Literatur sogar als
falsch und irreführend angesehen werden muß. In unserem Falle
kann es nur um Typologien gehen[1].

Letzteres - falsche Fragestellung - betrifft zunächst die
Diskussion um Wolfram von Eschenbach Rolle bei Entstehung,
Verbreitung und Ausprägung des mittelhochdeutschen Tageliedes.

Angesichts der unsicheren Datierungen - hat Otto von Botenlauben seine Lieder  v o r , gleichzeitig mit oder  n a c h
Wolfram (das alles ist möglich!) verfaßt -, der besonderen
literarischen Verhältnisse - das Problem der Originalität,
der Formelhaftigkeit - sehen wir uns außer Stande in diesen
Fragestellungen, die nur aus einer rigorosen Anwendung von -
auch hier schon zweifelhaften - Prinzipien der sog. Goethe-
Philologie auf die völlig anderen mittelalterlichen Verhältnisse, einen Sinn zu sehen. Die Frage nach den unter Wolframs
Namen verfaßten Liedern wird am ehesten in LISTE 6 beantwortet. Weiter sollte eine um ihre spezifische Exaktheit bemühte
Literaturkritik u.E. auch nicht gehen. Damit ist nichts gegen
die interpretatorischen Versuche eingewandt, wie sie in letzter Zeit vor allem von P.Wapnewski[2] vorgelegt wurden; im Ge-

1) Z.B. im Sinne von H.Kuhn (1967) S.195.
2) Vgl. z.B. P.Wapnewski (1970) und (1972), vgl. auch E.

genteil: wir hoffen, mit unserer Analyse eine Klärung auch
für diese Anliegen der Literaturkritik geleistet zu haben und
meinen, daß demgegenüber die biographisch-psychologischen Fragen bei diesen Objekten nur in die Irre führen[1].

Diese falsche Fragestellung betrifft auch die These vom Tagelied als Fiktion, insbesondere aber die erotische Konzeption, bei deren Erörterung die Anwendung einer erhabenen bürgerlichen Moralideologie nicht der Lächerlichkeit entrann
(s.o. 1.2.4). Wir werden dieses nicht gerade rühmliche Kapitel der Literaturgeschichtsschreibung bei der Erörterung des
Verhältnisses sog. Hoher Minnesang : Tagelied noch einmal aufgreifen, womit denn schon eines der noch ungelösten literarhistorischen Probleme genannt ist, das aber längst nicht so
im Mittelpunkt der Diskussion stand wie die Frage des romanischen Einflusses, um die sich ferner noch die Einzelprobleme
'Wächter' und 'volkstümlicher Ursprung' rankten.

Aus dem Anliegen der Klärung dieser Fragen ergibt sich notwendig folgendes Vorgehen. Innerhalb des Komplexes 'Abhängig-
keit/Einfluß' muß versucht werden, die Konstituenten, gegebenenfalls auch die Elemente, der romanischen und mittelhochdeutschen Tagelieder zu vergleichen. Dem geht in Abgrenzung
der in Frage kommenden romanischen Tagelieder eine Datierung
dieser voraus. Da die Wächterfrage in der Forschung viel Raum
einnimmt, wird diese dann im Anschluß an den Konstituentenvergleich untersucht.

Die Frage der Abhängigkeit kann dann auch noch von der These des volkstümlichen Ursprungs aus beleuchtet werden; diese
steht allerdings auch mit dem letzten Problem (sog. Hoher
Minnesang) in Verbindung.

Da die Lösung der ausstehenden Fragen nur geleistet werden
kann, wenn die Ergebnisse aller Einzelbetrachtungen überblickt
werden können, werden wir erst in einer Zusammenfassung (Kapitel 5) endgültig Stellung nehmen.

---

Nellmann (1974).
1) Was bei dieser Methode an Ergebnissen herauskommt, die
   einer exakten Überprüfung standhalten können, zeigt die
   'Biographische Notiz' über Walther von der Vogelweide bei
   P.Wapnewski (1966) S.301: das Wort "wahrscheinlich"überwiegt.

4.1. R o m a n i s c h e s   u n d   m i t t e l -
      h o c h d e u t s c h e s   T a g e l i e d

4.1.1.  Datierungsfragen und Erstellung eines Corpus
        der romanischen Tagelieder

Betrachten wir die Datierung der romanischen Tagelieder,
so fällt auf, mit welcher Sorglosigkeit ungeklärte Probleme
der romanischen Philologie von der germanischen als geklärt
übernommen werden, und als Tatsachen in die wissenschaftliche
Erörterung eingehen. Hierfür ein Beispiel: Ottos von Botenlauben Lied Nr. 14 und ein Lied des Uc de la Bacalaria[1] haben
das gleiche Motiv. Für G.Roethe war es offenkundig, daß Otto
dieses Motiv von Uc übernommen hat[2]. Doch kann das aus chronologischen Gründen überhaupt nicht in Betracht kommen, da
Otto seine Lieder  f r ü h e r  als Uc verfaßt hat[3]. Daß diese
Tatsache aber noch keineswegs das Ende einer Abhängigkeitsthese sein muß, zeigt U.Müller (1971, 477), der zwar die chronologische Bedingung akzeptiert, die Abhängigkeitsthese jedoch
mit Hilfe nicht vorhandener und deshalb auf alle Fälle zu po-
stulierender, "rekonstruierter Zwischenglieder" betont[4].

Die Fakten zur Datierung des romanischen Tageliedes sind
spärlich. Und die letzte Arbeit auf diesem Gebiet, B.Woledge
(1965), gibt sich denn auch recht skeptisch gegenüber den op-
timistischen, z.T. willkürlichen Chronologien der ihm voraus-
gehenden Monographie von A.Jeanroy (1934): "... Jeanroy's
list of the Provencal examples ... contains many doubtful and
approximate datings" (S.349).

---

1) Abgedruckt bei B.Woledge (1965) S.375.
2) G.Roethe (1850) S.91f.
3) Vgl. B.Woledge (1965) S.375.
4) Vgl. auch J.Saville (1972,7): "Most of the German Tagelieder resemble certain of the Provençal albas much more
   closely than they do any of the other dawn-songs in Hatto's
   collection." - was zumindest in dieser Form eine bloße Behauptung ist. Wir werden weiter unten die rationalen Argumente für die Zusammenhänge des mittelhochdeutschen mit
   dem romanischen Tagelied zu diskutieren haben.

Hinsichtlich des Altfranzösischen ist nach **Woledge** folgendes festzustellen:

> "Though there are pretty clear signs that a French dawn
> song convention existed in the 13th century and that it
> was more or less like the Provencal convention, there is
> no homogeneous group of poems to point to, and indeed it
> is difficult to draw the boundaries between dawn songs
> and other poems" (S.346) 1).

Ähnliches muß auch für das provenzalische Tagelied festgestellt werden:

> "All seem to have been written either in the late twelfth
> century or in the thirteenth (few if any being of the
> l a t e  thirtheenth)" (S.346) 2).

Vergleichen wir diese Aussage mit den Datierungen der mittelhochdeutschen Tagelieder (s.o. Kapitel 3), so ergibt sich ein fast gleichzeitiges Aufgreifen dieses Themas in der Provence und in Deutschland, die maximal eine Generation auseinanderliegen kann, in dem Fall nämlich, wenn wir Wolfram, Otto und MF 39.18 innerhalb der möglichen Spanne s p ä t ansetzen (1200-1220) und die provenzalischen auf die gleiche Weise f r ü h datieren (1170-1190). Nur weil diese Möglichkeit prinzipiell nicht ausgeschlossen werden kann und weil Datierungen für diese Epoche ohnehin mit den bekannten Schwierigkeiten behaftet sind und also nicht genau sein können, führen wir die Diskussion über das Verhältnis romanisches und mittelhochdeutsches Tagelied weiter. Hierbei muß allerdings eine logisch bedingte Auswahl aus den von Woledge aufgeführten 14 Liedern getroffen werden. Logisch deshalb, weil bei Ansetzung einer Abhängigkeit eindeutig später zu datierende romanische Tagelieder nicht früher zu datierende mittelhochdeutsche beeinflußt haben können, sondern höchstens umgekehrt. Das Argument, daß auch in den späteren die Tendenz der Konstituenten erkannt werden könne und sie also auch berücksichtigt werden müßten, kann angesichts der ohnehin vorhandenen, also weltliterarisch bedingten Übereinstimmungen nicht gelten. Von den 14 Liedern fallen, nach Ausweis von B.Woledge (1965, S.358-

---

1) Vgl. auch S.387-89.
2) Vgl. auch S.349.

389), acht provenzalische Tagelieder in diese Zeitspanne, und zwar die Nummern 1 bis 8 nach Woledge's Zählung (ebda.):

Nr. 1    Anonym
         "En un vergier sotz fuella d'albespi ..."
Nr. 2    Guiraut de Borneilh
         "Reis glorios, verais lums e clartatz ..."
Nr. 3    Cadenet
         "S'anc fui belha ni prezada ..."
Nr. 4    Bertran d'Alamanon oder Gaucelm Faidit
         "Us cavaliers si jazia ..."
Nr. 5    Anonym
         "Ab la gensor que sia ..."
Nr. 6    Anonym
         "Quan lo rossinhols escria ..."
Nr. 7    Raimbaut de Vaqueiras (?)
         "Gaita be, Gaiteta del chastel ..."
Nr. 8    Raimon de las Salas
         "Dieus, aidatz s'a vos platz ..."

Diese acht Lieder bilden die Grundlage für den nun folgenden Konstituentenvergleich. Eigentlich müßte nach den Vorausset- zungen der Inhaltsanalyse hierbei ein C o r p u s vorliegen, doch sind die Anforderungen an dieses u.a. eine gewisse Reprä- sentativität, die bei der Zahl 8 einfach nicht gegeben ist.

## 4.1.2. Konstituentenvergleich

Die Erarbeitung der Konstituenten sollte ja nicht zuletzt auch dem Vergleich: romanisches - mittelhochdeutsches Tagelied gelten. Der Vorteil dieser Methode liegt zweifellos darin, daß hier nicht interpretative, sondern Begriffsvergleiche ange- stellt werden. Die Konstituenten stellen die Merkmale der Gat- tungen dar, die von den Autoren bevorzugt realisiert werden. Insofern erfaßt dieser Vergleich einen wesentlich breiteren Bereich der möglichen Übernahme und Beeinflussung. Denn gera- de bei verschiedensprachlichen Texten werden in der Regel vor- handene Formeln und Formulierungen nicht nur wörtlich über-

setzt, sondern auch b e g r i f f l i c h  ü b e r t r a -
g e n .

Diese Feststellungen mögen allgemeine Gültigkeit haben,
müssen sich jedoch für unseren Bereich Einschränkungen gefal-
len lassen. Die Überlieferung der romanischen Tagelieder ist
recht spärlich (s.o.), so daß die für solche Vergleiche nötige repräsentative Menge nicht vorhanden ist[1].

Deshalb ist dieser wie jeder andere Vergleich nur als
t e n d e n z i e l l e  Darstellung zu verstehen, zumal wir
damit rechnen müssen, daß nicht alle Tagelieder überliefert
worden sind. Anzumerken ist hierzu, daß sich in der Forschung
die eigenartige Meinung festsetzte, dies habe nur für das romanische Tagelied zu gelten[2]. Im vorliegenden Bereich, der
mittelalterlichen Lyrik, kann es aber nur darum gehen, das zu
sammeln, was an  F a k t e n  vorhanden ist, und diese dann
abzuwägen. Grundsätzlich müßte ein Konstituentenvergleich aus-
reichen, um Abhängigkeiten festzustellen, hier jedoch müssen
noch andere Indizien beigezogen werden, als da sind: die Datierung, die Wächterfrage und das Problem der sog. wolkstüm-
lichen Elemente. Erst dann läßt sich in einer Erörterung aller
dieser Ergebnisse eine Lösung dieses Problems finden[3]. Diese
Lösung kann grundsätzlich jedoch nicht den Grad an Genauigkeit erreichen wie im Falle des höfischen Romans, wo ja Vorlage und mittelhochdeutsche Realisation unmittelbar greifbar
sind, sondern sie muß mit Wahrscheinlichkeiten arbeiten.

Der Vergleich wird folgendermaßen durchgeführt:

LISTE 7 verzeichnet als Ergebnis einer Inhaltsanalyse Konstituenten und Elemente des romanischen Tageliedes (Corpus s.o.)
nach absolutem und relativem Anteil;

---

1) Leider lassen sich noch keine exakten Relationen angeben,
   da hierzu erst noch Inhaltsanalysen an anderen Objekten
   durchgeführt sein müßten. Soviel steht allerdings fest:
   1.) es muß ein fester Kern von mehreren Konstituenten vorhanden sein, die (Anzahl 3-4) zusammen ca. 50 % der Gesamt-
   menge auf sich vereinen; 2.) die Menge der Realisationen
   muß so groß sein, daß eine Realisation bei weniger als
   0.01 % liegt, um Zufallsgruppierungen auszuschließen.
2) Vgl. z.B. U.Müller (1971).
3) Vgl. hierzu die Zusammenfassung (Kapitel 5).

LISTE 8 verzeichnet das Verhältnis Figur - Konstituente nach Maßgabe des Verfahrens in LISTE 5;

LISTEN 9 stellen den eigentlichen Vergleich dar, und zwar 9.1 die Gruppe der Konstituenten mit hohem Anteil ($\geq$ 10.0 %) am Gesamt, 9.2 die unterschiedlichen Anteile der Konstituenten am Gesamt (hierbei geteilt: Vergleich aller romanischen und mittelhochdeutschen Tagelieder und Vergleich aller romanischen und aller mittelhochdeutschen Tagelieder der Zeitgruppe A), sowie eine Gegenüberstellung der Ergebnisse der jeweiligen Verhältnisse Figur - Konstituente nach dem Muster der LISTEN 5.7i und 5.7j einerseits und andererseits nach den Ergebnissen aus den LISTEN 5.8 und 8.

LISTE 7

DIE KONSTITUENTEN DES ROMANISCHEN TAGELIEDES

ERLÄUTERUNG:

Bei der Analyse ergaben sich mit einer Ausnahme die Konstituenten, die aus LISTE 4 bekannt sind; sie werden deshalb in der dort vorliegenden Reihenfolge verzeichnet. Neuartige Elemente werden ausgeschrieben, ohne allerdings die Varianten anzuführen, was auch für die bekannten Elemente gilt, die mit den Symbolen aus LISTE 3 bezeichnet werden. Für jede Konstituente wird die Einzelsumme der Elemente, die Konstituentenzahl und der relative Anteil am Gesamt der Konstituenten verzeichnet.

EROTIK

| | |
|---|---|
| KU | 5 |
| UA | 2 |
| LG | 5 |
| LI | 3 |
| FR | 6 |
| RÜ | 6 |

| | |
|---|---|
| 30 | 11.7 % |

NATURERSCHEINUNG

| | | |
|---|---|---|
| ALBA | 42 | |
| TG | 9 | |
| ABEND | 1 | |
| ST | 2 | |
| OSTEN | 1 | |
| WINTERZEIT | 1 | |
| AURA | 1 | |
| VO | 6 | |
| | 65 | 25.3 % |

LEID TRAUER

| | | |
|---|---|---|
| UG | 8 | |
| FU | 4 | |
| FR- | 1 | |
| | 13 | 5.3 % |

GEFAHR

| | | |
|---|---|---|
| MR (Ehemann) | 10 | |
| HM | 2 | |
| GOTTES HILFE | 15 | |
| GF | 3 | |
| NL | 3 | |
| | 33 | 12.9 % |

AUSEINANDERGEHEN

| | | |
|---|---|---|
| TR | 15 | |
| | 15 | 5.9 % |

WECKVORGANG

| | | |
|---|---|---|
| SE | 2 | |
| SI | 3 | |
| PFEIFE | 1 | |
| | 6 | 2.3 % |

HÖFISCH-MINNESANG-
LICHE ELEMENTE

| | | |
|---|---|---|
| TW | 2 | |
| HZ | 2 | |
| | 4 | 1.5 % |

HILFE/FÜRSORGE

| | | |
|---|---|---|
| WA | 10 | |
| WR | 1 | |
| HE | 9 | |
| | 20 | 7.5 % |

SPRECHEN

| | | |
|---|---|---|
| SP | 11 | |
| | 11 | 4.5 % |

AUFSTEHEN

| | | |
|---|---|---|
| HÖ | 10 | |
| AW | 2 | |
| AS | 6 | |
| | 18 | 7.4 % |

ABSCHIED

| | | |
|---|---|---|
| RK | 1 | |
| BL | 2 | |
| NICHT VERGESSEN | 2 | |
| | 5 | 1.9 % |

GEBÄUDE LANDSCHAFT

| | |
|---|---|
| FLOR | 1 |
| JARDI | 1 |
| VERGIE | 1 |
| FUELLA D'ALBESPI | 1 |
| PRATZ | 1 |
| BOTSCHATGE | 1 |

```
CASTELH              2
TOR                  2
```
---
```
                    10          4.5 %
```
---

```
SEGEN               00
```
---
```
                    00          0.0 %
```
---

REFLEX AUF WECKEN

```
ALBA-
TG   -
NA   +              10
WÄCHTER-             4
FL                  1
HA                  3
ZF                  2
```
---
```
                    20          7.5 %
```
---

SCHLAFEN

```
SL                  3
```
---
```
                    3           1.2 %
```
---

VERHEIRATET SEIN

```
UN VILAN SUI
DONADA              1
```
---
```
                    1           0.4 %
```
---
```
                    1           0.4 %
```
---
```
                   256        100.0 %
```

LISTE  8

RELATION FIGUR - KONSTITUENTE

|  | W i | W j | F i | F j | R i | R j | P i | P j | D i | D j | SA. |
|---|---|---|---|---|---|---|---|---|---|---|---|
| EROTIK | 40 | 6 | 14 | 12 | 13 | 12 | 3 |  |  |  | 30 |
| NATURERSCHEINUNGEN | 2 | 29 | 10 | 16 | 11 | 16 |  |  | 4 | 4 | 65 |
| LEID TRAUER |  | 2 | 6 | 6 | 5 | 5 |  |  |  |  | 13 |
| GEFAHR | 14 | 18 | 7 | 7 | 12 | 8 |  |  |  |  | 33 |
| AUSEINANDERGEHEN |  | 5 |  | 2 | 13 | 8 | 2 |  |  |  | 15 |
| WECKVORGANG | 6 | 3 |  | 1 | 2 | 2 |  |  |  |  | 6 |
| HÖFISCH-MINNESANGL. |  |  | 2 | 2 |  | 2 |  |  |  |  | 4 |
| HILFE FÜRSORGE | 20 | 12 |  | 3 |  | 5 | 1 |  |  |  | 20 |
| SPRECHEN | 10 | 4 |  |  |  | 7 |  |  |  |  | 11 |
| AUFSTEHEN | 1 | 8 |  |  | 17 | 11 |  |  |  |  | 19 |
| ABSCHIED |  |  | 1 | 1 | 4 | 4 |  |  |  |  | 5 |
| GEBÄUDE LANDSCHAFT | 5 | 4 | 3 | 4 | 2 | 2 | 1 | 1 |  |  | 11 |
| SEGEN |  |  |  |  |  |  |  |  |  |  | 00 |
| REFLEX AUF WECKEN |  | 1 | 4 | 4 | 16 | 15 |  |  |  |  | 20 |
| SCHLAFEN |  | 1 |  |  | 3 | 2 |  |  |  |  | 3 |
| VERHEIRATET SEIN |  |  | 1 | 1 | 1 |  |  |  |  |  | 1 |
| absolut | 98 | 93 | 48 | 59 | 99 | 99 | 7 | 1 | 4 | 4 | 256 |
| relativ | 38,3% | 36.3% | 18.7% | 23.0% | 38.7% | 38.7% | 2.7% | 0.4% | 1.6% | 1.6% |  |

LISTEN 9

VERGLEICH ROMANISCHES - MITTELHOCHDEUTSCHES TAGELIED

LEGENDE :

prov   = romänisches Tagelied
PROV     (Corpus)

mhd   = mittelhochdeutsches Tagelied
MHD     (Corpus)

i      = Funktion (vgl. LISTE 5.7)
j      = tatsächliche Aktivität (vgl. LISTE 5.7)

LISTE 9.1

---

Relationen der Figuren in bezug auf die Konstituenten
(vgl. LISTE 5.7)

|   | W | | F | | R | |
|---|------|------|------|------|------|------|
|   | prov | mhd | prov | mhd | prov | mhd |
| i | 38.3 | 24.3 | 18.7 | 31.9 | 38.7 | 30.7 |
| j | 36.3 | 38.5 | 23.0 | 34.5 | 38.7 | 18.0 |

LISTE 9.2

---

Konstituenten mit relativem Anteil von über 10.0 %

| Prov | | Mhd | |
|------|--------|------|------|
| NATURERSCHEINUNG | 25.3 % | ./. | 15.6 % |
| GEFAHR | 12.9 % | ./. | 10.1 % |
| EROTIK | 11.7 % | ./. | 16.1 % |
| | ( 5.3 %) | LEID TRAUER | 15.0 % |

LISTE 9.3

---

Signifikante Unterschiede der relativen Anteile ($\geqq$ 4) bei
einerseits PROV (P) - MHD Gesamt (Mg) und andererseits
PROV (P) - MHD Zeitgruppe A (Ma).

|   | P | DIFF | Mg | P | DIFF | Ma |
|---|---|------|----|---|------|-----|
| EROTIK | - | 4.4 | + | - | 4.1 | + |
| NATURERSCHEINUNG | + | 9.7 | - | + | 10.8 | - |
| LEID TRAUER | - | 9.7 | + | - | 8.3 | + |
| GEFAHR | | -.- | | + | 4.0 | - |
| WECKVORGANG | - | 5.1 | + | - | 5.7 | + |
| HÖFISCH MS EL. | - | 5.3 | + | - | 7.4 | + |
| AUFSTEHEN | + | 4.4 | - | + | 4.9 | - |
| REFLEX AUF WECKEN | + | 6.1 | - | + | 6.7 | - |

LISTE 9.4

Relativer Anteil der Figuren an den Konstituenten

| KONSTITUENTE | WÄCHTER | | FRAU | | RITTER | |
|---|---|---|---|---|---|---|
| | PROV | MHD | PROV | MHD | PROV | MHD |
| EROTIK | -.- | -.- | 46.6 | 39.0 | 43.3 | 37.9 |
| NATURERSCHEINUNG | 60.1 | 48.3 | 15.8 | 30.5 | 17.0 | 13.5 |
| LEID | 15.4 | 5.2 | 46.1 | 57.8 | 38.5 | 17.0 |
| GEFAHR | 42.4 | 15.4 | 21.2 | 13.7 | 36.4 | 51.1 |
| AUSEINANDERGEHEN | -.- | -.- | -.- | 11.1 | 86.6 | 69.9 |
| WECKVORGANG | 100.0 | 70.9 | -.- | 22.4 | -.- | 6.0 |
| HÖFISCH-MINNESANG-LICHE ELEMENTE | -.- | 26.2 | 50.0 | 31.1 | 50.0 | 32.8 |
| HILFE | 100.0 | 91.5 | -.- | 8.5 | -.- | -.- |
| SPRECHEN | 90.9 | 40.3 | -.- | 44.7 | 9.1 | 15.0 |
| AUFSTEHEN | 5.6 | 1.8 | -.- | 23.3 | 88.8 | 60.0 |
| ABSCHIED | -.- | 2.2 | 20.0 | 30.4 | 80.0 | 63.1 |
| GEBÄUDE/LANDSCHAFT | 45.4 | 52.8 | 27.2 | 25.0 | 18.2 | 16.7 |
| SEGEN | 00 | 2.9 | 00 | 41.2 | 00 | 53.0 |
| REFLEX AUF WECKEN | -.- | 24.0 | 20.0 | 64.0 | 80.0 | 12.0 |
| SCHLAFEN | -.- | -.- | -.- | 16.7 | 100.0 | 79.2 |
| VERHEIRATET SEIN | -.- | 00 | 100.0 | 00.0 | -.- | 00.0 |

Zusammenfassend kann festgestellt werden:

(1) Beide Tageliedrealisationen haben die gleiche Grundstruktur (Konstituenten), wobei die Palette des mittelhochdeutschen Tageliedes (mTL) aufgrund der siebenfach größeren Menge an Realisationen natürlich reichhaltiger ist. Vom romanischen Tagelied (rTL) her fallen besonders die Elemente ALBA, MR (Ehemann), GOTTES HILFE und die Elemente der Konstituente 'Gebäude, Landschaft' auf, da sie gänzlich ohne Entsprechung sind, andererseits aber für rTL dominant.

(2) In der Einzelverteilung von Figur und Konstituente (LISTE 9.4) muß bei gradueller Abweichung in der Höhe die gleiche T e n d e n z  festgestellt werden, mit Ausnahme der Konstituente 'Reflex auf Wecken', die noch an anderer Stelle (5) eine Eigentümlichkeit von rTL ausmacht.

(3) Im Bereich der Figurenrelationen auf Basis der Aktivität (LISTE 9.1) besteht nur in einem Falle Kongruenz: tatsächliche Aktivität des Wächters. Ansonsten kann von einer Umkehrung der Verhältnisse gesprochen werden, die vor allem in Bereich i (figurenspezifische Tätigkeit), aber auch im Bereich j (tatsächliche Aktivität) statthat: die Figuren R und F bei rTL sind mit denen von mTL nicht vergleichbar, sie haben eine jeweils andere Ausprägung.

(4) Im Bereich der Haupt-Konstituenten (LISTE 9.2) kann bei 'Erotik' und 'Gefahr' von Übereinstimmung gesprochen werden, während 'Naturerscheinung' bei rTL dominant und 'Leid Trauer' umgekehrt bei mTL dominant ist.

(5) Bei mTL haben die Konstituenten 'Naturerscheinung' (s.o.) und 'Reflex auf Wecken' nicht die Resonanz, die bei einer Einflußnahme zu erwarten wäre, insbesondere nicht bei der Zeitstufe A, die ja als Akzeptor auftreten müßte. 'Leid Trauer' und 'Höfisch-minnesangliche Elemente' sind andererseits bei rTL im Vergleich zu mTL unterrepräsentiert (LISTE 9.3).

Fazit

Wenn wir vom Tagelied als Gattung der Weltliteratur ausgehen - und nach Hatto (1965) müssen wir das -, so beweist die
Übereinstimmung in der Grundstruktur für die These einer Übernahme nichts oder zumindest nicht genügend. Gerade aber die
Details, auf die es nunmehr ankommt, legen eine solche Übernahme nicht nahe. Da der Bereich Relation Figur - Konstituente
eine äußerst sublime Strukturierung darstellt, er also bei Abhängigkeiten auf alle Fälle übereinstimmen müßte, muß bei Hin-
zuziehung der beiden anderen Punkte (3 und 4) eine solche aufgrund dieses Vergleichs angezweifelt werden, ohne daß damit
ein endgültiger Beweis erbracht wäre (s.o.).

### 4.1.3. Die Wächterfigur

Die Figur des Wächters spielt in der Diskussion um die
"Entstehung" des mittelhochdeutschen Tageliedes eine große
Rolle (s.o. Kapitel 1). "Entstehung" heißt in diesem Falle bekanntlich Übernahme vom romanischen Tagelied. Innerhalb der
Weltliteratur ist dies zwar nicht die einzige Verwendung dieser Figur vor dem mittelhochdeutschen Tagelied, doch muß auch
hier die allgemein postulierte Abhängigkeit zunächst vorausgesetzt werden[1]. Da diese Figur nicht unbedingt zu den Konstituenten dieser Gattung in der Weltliteratur gehört[2], ist ein
Auftreten dieser Variante in zwei Nationalliteraturen, von
denen die eine allgemein dominant ist, ein starker Beweis für
den Einfluß - immer vorausgesetzt, daß dieser Beweis exakt
geführt wird. In diesem Beweis müssen folgende Punkte beachtet
und erörtert werden:

(1) Chronologie und Datierung
(2) Keine "Wächter"-Tradition in der übernehmenden Lite-
    ratur
(3) Übereinstimmung der Aktivitäten dieser Figur in bei-
    den Literaturen.

In der Diskussion wurden (1) und (3) schon behandelt, wobei

---

1) Vgl. A.Hatto (1965) S.76.
2) Vgl. A.Hatto (1965) ebda.

(1) eine Übernahme annähernd ausschließt, ohne allerdings
dies mit letzter Genauigkeit beweisen zu können und bei (3)
eine doch signifikante Übereinstimmung festgestellt werden
muß, mit der Einschränkung, daß die Übereinstimmung in Konstituenten besteht, die dem Wächter logisch zwingend zukommen
müssen (Naturerscheinung, Wecken, Helfen), denn es dürfte
kaum zu erwarten sein, daß er z.B. mit 'Erotik', 'Reflex auf
Wecken', 'Aufstehen', 'Schlafen' etc. zu tun hat. D.h. also,
daß (2) einen klärenden Beitrag dazu leisten kann und wir nunmehr die mittelhochdeutsche Literatur vor dem Aufkommen des
Tageliedes auf die Figur des Wächters hin überprüfen werden.
Der Zeitpunkt für "vor" wird auf 1200 als terminus ante quem
festgelegt, wobei auf spätere Zeugnisse verzichtet wird, die
sehr wohl Traditionen überliefern können, die  v o r  dem
Tagelied liegen. Wir werden nun die solchermaßen eingegrenz-
ten Zeugnisse einzeln besprechen.

4.1.3.1. Der Wächter in der germanischen Heldenepik und das
         Zeugnis aus dem sog. 'Capitulare de villis'

    Das älteste datierbare Zeugnis für die Kenntnis und offen-
bare Ausführung des Wächteramtes findet sich in der Verwal-
tungsordnung Karls des Großen, die im sog. 'Capitulare de
villis' niedergelegt ist. H.Kolb, von dem der Hinweis darauf
stammt, kann noch andere Belege aus der gleichen Zeit anführen, sämtliche aus Urkunden. Kolb (1958, 156/57) kommt zu dem
Schluß: "der Wächter auf der Zinne des Burgturmes ist für je-
ne Zeiten kein literarisches Modell, das womöglich erst aus
einer fremden Literatur entliehen werden mußte ...". Doch
dieser Schluß ist voreilig. Kolb konnte erstens nicht nach-
weisen, daß ein  B u r g wächter in den Urkunden gemeint ist;
vielmehr heißt es in den Urkunden z.B. "facit wactam in curte[1]
dominica" (1.Drittel 9.Jh.)[2].Hier ist die Rede von einem Wächter

---

1) Du Cange (1954) Bd.2 s.v. Curtis, S.585: "... est atrium
   rusticum stabulis et aliis aedificiis circumdatum ..."
2) Kolb (1958) S.156 A.1.

der den H o f bewachen soll. Und so scheint folgender Sach-
verhalt vorzuliegen: vor allem die Anweisung im 'Capitulare'
deuten darauf hin, daß gemeint ist, a u c h die Höfe sollen
Wächter bekommen, die doch auf der Burg eigentlich selbstverständlich sind. Welchen Sinn hätte denn der Bergfried - abgesehen von der Möglichkeit einer letzten Zuflucht - als den,
dem Wächter oder Beobachter einen möglichst günstigen (=hohen)
Standort zu geben? Wir können also annehmen, daß es auf einer
Burg einen Wächter gab[1].

Zweitens ergibt sich aus diesem Nachweis noch lange nicht,
daß er als literarisches Vorbild gedient hat und es nicht der
Entlehnung aus fremden Literaturen bedurft hätte. Als literarische Figur oder Motiv könnte er sehr wohl aus anderen Literaturen übernommen worden sein, denn die Einflußnahme innerhalb der Literaturen unterliegt doch einer Eigengesetzlich-
keit. Insofern ist Kolbs Aufstellung nur eine halbe Sache[2].

Es kommt darauf an, den Wächter in der l i t e r a r i -
s c h e n  Tradition nachzuweisen. Ob es allerdings dienlich
ist, hierbei die Heldenepik von germanischen Literaturen her-
anzuziehen, die außerhalb des deutschen Sprachraums verfaßt
wurden, muß zumindest angezweifelt werden. Dennoch sollen die
Wächter- und Weckszenen der Vollständigkeit halber genannt
werden.

    1. Finnsburglied.
       Altenglisch, frgm., innerhalb des Beowulf überliefert
       (Entstehungszeit ca. 1063 - 1160)[3]:

       v.1 "... hornas byrnað naefre
       ...
       ... fuzelas singað

_____

1) Vgl. K.H.Borck (1959) S.169.
2) Daß im übrigen die Urkunden aus dem 7.-10. Jh. stammen,
   also eine Lücke von ca. 250 Jahren zwischen ihnen und dem
   Einsetzen des Tageliedes besteht, sei nur am Rande erwähnt. Vollends unhaltbar sind die Schlüsse auf die Entstehung des Minnesangs überhaupt (Kolb, S.157ff.), denn
   das Tagelied ist doch nur eine Sonderform des Minnesangs,
   die zwar integriert ist, aber keineswegs alle Erschei-
   nungsformen beinhaltet.
3) F.Klaeber (1950).

gylleð graeg-hama ...
Nu scyneð þes mona,
waðol under wolcnun ..."

Elemente: Vo, Si, MO, WO.

2. Edda[1]:
Das Lied von der Hunnenschlacht[2]:

  v.18 "(Spähend stand Hervör,
       Heidretes Tochter,
       auf dem Turm am Tore,
       als der Tag aufstieg.
       Da sah sie am Walde
       ... etc.);

  Das alte Hamdir-Lied[3]:

  v.20 "...
       niemand vernahm
       das Nahen der Rosse
       bis das Horn erscholl
       des beherzten Spähers."

  Das Bjarkilied[4]:

  v.2 "Tag stieg empor
       es tönt der Hahnenschrei.
       Mühsal müssen die Mannen gewinnen.
       Wachet nun, wachet, wackre Freunde.
       ..."

  Elemente: SE , ZI, TG, HR, AW

3. Waltharius und Ruodlieb
   Datierung: ersteres 'gegen 930',
   letzteres Mitte 11. Jh.[5]

---

1) F.Genzmer (1934, Bd.I).
2) ebda. S.28.
3) ebda. S.55.
4) ebda. S.181
5) Nach K.Langosch (1960).

Walth.

> "Forte Cabillonis sedit Heiriricus et ecce
> Attolens occulos speculator vociferatur:
> 'Quaenam condenso consurgit pulvere nubes?
> Vis inimica venit, post iam claudite cunctas'.
> Iam tum Franci fecissent, ipse sciebat
> Princeps ..." (S.364).

Ruodl. III. v. 36 f.

> "Coepit c)alcare latus obmaculare cruore
> Prospien)s s(aro) regis speculatur ab alto
> Exclama)t: 'iuuenem uideo nimium properantem,
> Parva, qu)o narret, non ab re sic pauitavit'
> (S.369).

Vergleicht man die Entstehungszeiten dieser Zeugnisse untereinander, so fällt eine gewisse Kontinuität auf, welcher Eindruck sich verstärkt, wenn wir nun die frühmittelhochdeut-
sche Epik betrachten.

## 4.1.3.2. Kaiserchronik

Die Funktion des Wächters wird in der Kaiserchronik deutlich beschrieben - nach A.T.Hatto "the earliest factual des-
cription of the castle-watchman at work at dawn" (1965,811)-:

vv. 11722   "Duo rumten si die cluse
              unt gingen von dem huse
              einen frolichen ganch,
              do diu leriche sanch.
              des morgens als ez tagete
              der wahtaere sagete
              uber alle die burch maere
              daz sin herre chomen waere."

Diese Strophe stammt aus der Crescentia-Legende, die - gleich
der Genoveva-Sage - das Motiv der unschuldig verleumdeten
Frau zur Grundlage hat. Das 'si' aus v.11722 sind der Verfüh-
rer und Schwager, der 'schöne' Dietrich, und Crescentia;

Crescentia hat ihn gerade aus dem Turm entlassen[1].

Hatto (1965, 811) übersetzt die für uns wichtige Passage:
"When the lark sang a joyful song in the morning as day was
breaking, the watchman proclaimed the news to the whole castle
that his lord had returned". Abgesehen von dem phantasievollen
'joyful', das vermutlich das auf 'ganch' bezogene 'frolichen'
überträgt und mit dem Gesang der Lerche nichts zu tun hat,
setzt sich Hatto kommentar- und bedenkenlos über den Punkt des
Herausgebers, Edw. Schröder, hinweg. Danach sieht es nämlich
so aus, als ob der Lerchensang mit 'ganch' verbunden sei, was
zunächst nicht von der Hand zu weisen ist, da 'duo' (v.11722)[2]
und 'do' (v.11725) aufeinander bezogen scheinen. F.Karg hat
nun in einer Untersuchung über die Hypotaxe auch die do-Ver-
bindungen abgehandelt und konnte dabei zwei Grundtypen feststellen[3]. Nehmen wir die vom Herausgeber vorgeschlagene Interpungierung, so läßt sich der erste Satz keinem der beiden
Typen zuordnen, denn Typ I - Gleichzeitigkeit - schließt ein
zweites 'do' aus, und Typ II - Nachzeitigkeit - erfordert In-
version nach dem zweiten 'do'. Setzen wir dagegen den Punkt
nach 'ganch' (v.11724), so ist v.11725 das erste Glied einer
hypotaktischen Reihe mit den Subjekten 'leriche' und 'wahtae-
re'. Dieser Satz ist dann nach dem Typus I gebildet und drückt
Gleichzeitigkeit aus.

Diese philologischen Erörterungen waren nötig, um eine in-
haltliche Klärung zu erreichen. Im Text des Herausgebers war
die 'leriche' in Zusammenhang mit dem 'ganch' gesehen, nach
der neuen Interpungierung gehört sie eindeutig zu den Morgen-
attributen, was ja auch ornithologisch richtig ist. Damit ist
die Morgenschilderung mit dem Topos Lerche/Vogel, der Formel
'ez tagt', in Verbindung mit dem Wächter noch vor Mitte des
12. Jahrhunderts literarisch bezeugt. Elemente: VO, SI, MO,
TGt, SP, ZI/PA.

---

1) Vgl. F.Ohly (1940) S.189 ff.
2) Nach E.Schröder (1895) S.32, erscheint Zeitadverb bzw.
   -konjunktion 'do' in der Hs. als 'd$_o^v$', daneben auch als
   'do'.
3) F.Karg (1925) S.451 ff.

### 4.1.3. 'Graf Rudolf'

In diesem Werk wird zwar ein Wächter nicht erwähnt; es sind aber dennoch so viele Anklänge an die Elemente des Tageliedes gegeben, daß wir es hier zur Illustration anführen. Wir zitieren nach der Ausgabe des schwierigen Textes von P.F.Ganß (1964), der auch eine neue Datierung vorgelegt hat (gegen Wentzlaff-Eggebert und gegen die mangelhaft begründete von G. Jungbluth). Demnach muß das Werk zwischen 1170 und 1185 entstanden sein.

Graf Rudolf befindet sich bei einer Königin, die ihn 'des abends spate' (v.2) in ihrer Kemenate empfängt ('die mane schone schein' v.4).

| | |
|---|---|
| v. 9 | die schone kuniginnen |
| | intfienc mit frolichem mute |
| | den edelen greven guten. |
| | sie tvanc in zu iren brusten, |
| | lipliche sie in custe. |
| | ... |
| v.22 | (E)in bette was da bereitet |
| | ... |
| v.25 | sie beide gerne wolden |
| | daz die naht drier jare were lanc |
| | ... |
| v.35 | sin tugent hatte sie da zu braht |
| | unde ire vil reine wipheit, |
| | daz sie in hatte liep ane leit |
| | lipliche sie in umbe vienc. |
| | ... |
| v.41 | Bonifait der jungelinc ge(me)it |
| | gienc zur kemmenatin |
| | mit Beatrisen wart her zu rate |
| | daz her sie wecken wolde. |
| 45 | Beatris sprach, her ne solde |
| | i(n) dannoch nicht wecken. |
| | 'Lazet den edelen recken |
| | ligen unde sin gemach han. |

```
        ja is die nacht iezu ergan,
50      unde cumet schone der tach
        sva man den schaden mach
        bewaren, daz ist gut getan!
        we, Bonifait, nu la stan!
        ich genieze miner sinne,
55      daz ich in wol hir inne
        behalde al uber diesem tach'."
```

Zu der Zeichensetzung ist nach der plausiblen Darlegung von H.Brackert (1966, 152) einiges nachzutragen, "denn bei dieser Verteilung geben ... die Verse 49 ff. keinen rechten Sinn. Es handelt sich um eine Wechselrede ...". Beatris spricht die vv.47 und 48, darauf Bonifait, der besorgt ist über die Nähe des Morgens und seinen Herrn vor 'schaden' bewahren möchte, die vv. 49-52. Doch Beatris zerstreut diese Besorgnis (vv. 55-56): "Das kleine Wechselgespräch verlegt die Tageliedsituation in einen anderen epischen Zusammenhang" (ebda.).

Elemente: UAt, Ku, LL, UAn, RA, WE,
         LG, NA, TGa
         UGw, FR, WAw, BL ;

sowie ein Element, das nur die provenzalische Alba kennt, den Wunsch nach Verlängerung der Nacht.

## 4.1.3.4.  Das Lied von Troja

Die Datierung dieses Epos ist nicht unumstritten, wir halten uns aber an die einleuchtende Begründung für eine frühe Datierung durch H.de Boor, demnach es ein Werk des letzten Jahrzehnts des 12. Jahrhunderts ist[1].

An zwei Stellen wird von einer Wächterszene berichtet:

---

1) de Boor (II) S.50. Übereinstimmend damit auch F.Neumann (1952) S.43. Dagegen W.Krogmann (1968) S.532, der seine Datierung nicht begründet. Vgl. auch J.Saville (1972, 282 Anm.31), der freilich nach dem bekannten Argumentationsschema aus den Tageliedanklängen für eine spätere Datierung plädiert.

(1)   vv. 1295 ff. "Des morgens do ez tagete
                    Der wehter mere sagete.
                    Er rief von der zinnen:
                    Ich sehe daz lant brinnen
                    Vn blichende schilde
                    Uber daz gefilde ..."

(2)   vv. 4178 ff. "Der wechter uf der zinne saz
                    Sine tageliet er sanc
                    Daz im sine stimme erklanc
                    Von grozem done.
                    Er sanc: ez taget schone,
                    Der tac der schinet in den sal
                    Wol uf, ritter, über al
                    Wol uf, ez ist tac !"

Elemente: MO, TGt, SP, SE
          ZI, TL, SI,
          PA, TGs, ASw, TGi.

Ferner sei auf das auch im Tagelied vorhandene Verhältnis
'Wächter' : 'Ritter' gerade im Bereich des Elementes AS hingewiesen, das im Tagelied einigermaßen unerklärlich sein muß,
wenn man bedenkt, daß der Wächter mit der Frau spricht und
auch verhandelt, Sorge aber um den Ritter hat. Es liegt nahe,
in diesen epischen Versen die Erklärung zu suchen, die dann
lauten könnte: der allgemeine Weckruf des Wächters wird vom
Tagelied übernommen.

Diese Verse erhalten durch den folgenden Umstand noch mehr
Gewicht:

Ohne Zweifel hält sich Herbort an seine französische Vorlage, die 'Estoire de Troie' des Benoit de St. Maure (entstanden zwischen 1165 und 1170[1]), kürzt sie allerdings um die
Hälfte[2] und bringt einige Zusätze an. J.Worstbrock (1963,259)
konnte nun feststellen, daß die "motivlichen und stofflichen
Zusätze ... aus dem Vorrat der lateinischen Überlieferung"
stammen - mit einer Ausnahme: "nur ein einziges Teilmotiv

---

1) Nach F.H.Oppenheim (1962) Sp.812.
2) Vgl. de Boor (II) S.51.

weist auf die höfische Literatur. Herbort führt ... den Wächter auf der Zinne ein" (ebda.). Die Figur des Wächters muß
Herbort so geläufig oder bekannt gewesen sein, daß er gegenüber der Vorlage diesen außergewöhnlichen Einschub vornahm,
der außerhalb der vorgegebenen Linie lag. Das läßt den Schluß
zu, daß der Wächter als literarische Figur erheblich und in
Umlauf gewesen sein muß. Die Gleichheit der Wortwahl in der
Kaiserchronik und bei Herbort, die ca. 40 Jahre auseinanderliegen, beruht vermutlich auf gängigen Formeln.

4.1.3.5.  MF 39.18 ("man weckt uns leider schiere")

Seit W.Scherer[1] ist die Frage nach dem 'wan' der zweiten
Zeile eigentlich geklärt. C.v.Kraus (1939, 98) hat zudem noch
neue Argumente gegen H.Paul, der 'wan' als Adversativartikel
auffaßt und syntaktisch hierbei Erhebliches verändern muß, an-
geführt; somit steht fest, daß 'wan' man bedeutet. Doch ist
nun wiederum strittig, "wer" das 'man' ist, der Vogel, der in
der nächsten Zeile erwähnt wird, oder ein Mensch oder sogar
der Wächter. A.T.Hattos Meinung (1962, 504) steht hier für
viele,und nach ihm "kann" sich das 'man' unmöglich auf einen
Wächter beziehen, sondern nur auf den Vogel. Jungbluth (1963,
120) weist dagegen mit Recht auf den "lahmen, hilflosen Ausdruck" hin, einen Stilbruch, den man einem Dichter - selbst
einem mäßigen Talent - nicht zutrauen könne. Dieses 'man'
stünde "... nicht bloß für das eine Vögelein, sondern der
Idee nach zugleich für die ganze bunte Schar von dessen Artge-
nossen und ihr Morgengezwitscher". So gesehen, "kann der Vers
... schlechterdings nur auf den Wächter Bezug nehmen". Doch
Jungbluths Argumentation steht im Konjunktiv, sein Schluß
man = Wächter ist voreilig. Warum kann man einem Dichter man
= Vogel nicht "zutrauen"? Zunächst sind hier die syntaktischen
Erwägungen von Carl von Kraus anzuführen. Ein unbestimmtes
Subjekt, das die nötige Bestimmung erst im Folgesatz erfährt,
wäre im Mittelhochdeutschen, besonders aber in diesem Liede
so ungewöhnlich, daß es einer eingehenden Begründung be-

---

1) nach Jungbluth (1963) S.120

dürfte[1]. Es ist z.B. fraglich, ob sich ein 'man' überhaupt auf 'Tiere' beziehen kann. Das widerspricht schon unserem Stilgefühl (vgl. Jungbluth), wie steht es damit im Mittelhochdeutschen?

Wir haben zahlreiche Beispiele anhand der Wörterbücher[2] und auch eines Wortindexes zu Hartmanns Iwein[3] überprüft und sind der Bedeutung des 'man' im Satzzusammenhang nachgegangen. Nirgends ist der Bezug zu einem oder mehreren M e n s c h e n auch nur strittig. Bedenken wir ferner, daß im Mittelhochdeutschen die ursprüngliche Bedeutung des Wortes noch wach war: in der Rückbeziehung wird 'er' angewandt[4], so könnte man daraus die Hypothese ableiten, daß damit ein männliches Wesen gemeint ist. Und als Analogon zu den übrigen Tageliedern könnte dies ein Wächter sein, freilich auch ein Freund[5]. Hattos Argument, der Wächter sei ja in dem Lied "sonst nicht erwähnt" (1962, 504), ist insofern kein Einwand, als es einige Tagelieder gibt, die den Wächter nur einmal erwähnen.


## 4.2. D i e  s o g e n a n n t e n  v o l k s t ü m l i - c h e n  E l e m e n t e  d e s  m i t t e l - h o c h d e u t s c h e n  T a g e l i e d e s


Der Begriff 'volkstümlich' ist innerhalb und außerhalb der Wissenschaft so vorbelastet, daß man ihn nicht ohne Erläuterung anwenden kann. Da hierbei literarsoziologische Aspekte

---

1) Vgl. C.v.Kraus (1939) S.98.
2) Benecke-Müller-Zarnke (1854); M.Lexer (1872); J. und W. Grimm (1885).
3) G.F.Benecke (1874).
4) Vgl. hierzu H.Paul (1960) S.222; Lexer (1872, Bd.1) S.1022 mit dem Beisp. "ja waen man niender funde/wie sere ers wolde ersuochen" (Erec 5237).
5) Wir stimmen Saville zu: "the paleographic interpretation of three minims can hardly be said to rest on a firm foundation" (1972, 270), meinen aber, daß er sich nicht die Mühe gemacht hat, a l l e Argumente zu prüfen, daß also seine Behauptung, das 'man' sei "the chief debating point in the argument over the existence of an authochthonous German Tagelied", ebenso einer festen Begründung ermangelt.

angesprochen werden, reicht die romantisierende Begriffsbestimmung nicht aus, denn mit 'schlicht', 'Dichtung der Volks-
seele' etc. ist nur eine - auch noch vom Wunschdenken gefärb-
te - Beschreibung geleistet, die keinen Bezugsrahmen erkennen
läßt. Literatur steht immer in Verbindung mit den gesellschaftlichen Bedingungen einer Zeit. Das bedeutet, daß dieser
Begriff in unserem Zusammenhang nur für das Hohe Mittelalter
gelten kann, und auch da nur ausschnittweise, da die auf uns
gekommenen literarischen Dokumente keinen Gesamteindruck vermitteln können.

Die Bedingungen der feudalen Aristokratie brachten die besondere Ausprägung des höfischen Lebens mit sich. Alles, was
nicht am Hofe zugegen sein konnte - oder auch wollte -, war
durch den höfischen Codex vom gesellschaftlichen Leben ausgeschlossen. Innerhalb der höfischen Gesellschaft stellte sich
ein Verhaltensritual ein, das von den Beteiligten akzeptiert
und übernommen wird. Daß bei der Annahme dieser gesellschaftlichen Bedingungen ökonomische Fragen eine große Rolle spiel-
ten, kann als selbstverständlich gelten[1].

Wenn nun für das Hohe Mittelalter eine solche höfische Gesellschaft als existent festgestellt werden kann, so fordert
die Dialektik von Entstehung und Existenz einer solchen Gesellschaft - die im Absetzen von etwas und Herausbilden von
etwas anderem besteht - einen Gegenbegriff. 'Volkstümlich'
also soll alles das benennen, was nicht höfisch ist, was
nicht in den höfischen Verhaltenscodex aufgenommen ist.

Diese gesellschaftlich-höfischen Bedingungen nehmen natürlich Einfluß auf die Literatur. Ziehen wir ein Ergebnis der
Analyse der höfischen Gesellschaft von N.Elias (1969, 361)
heran: "Frauen als soziale Gruppe betrachtet haben am Hofe
größere Macht als in irgendeiner anderen gesellschaftlichen
Formation ...", so erklärt das die Stellung der Frau im Hohen
Minnesang unmittelbar. Denn es folgt daraus, daß die Frau die
umworbene, der Mann (Ritter) aber der werbende ist.

Da dies nun im Tagelied wiederum umgekehrt ist, liegt der

---

1) Vgl. z.B. E.Köhler (1970).

Schluß nahe, daß hier andere gesellschaftliche Bedingungen in
der Literatur zum Tragen kommen. Soziologisch und literarso-
ziologisch liegt hier also eine Diskrepanz vor, die nur aus
der obigen Polarität her erklärt werden kann. Damit sind wir
jenseits eines Streites, ob 'volkstümlich' eine creatio ex
nihilo (Auerbach, Curtius) oder ob dies eine berechtigte wissenschaftliche Voraussetzung (Spitzer, Frings) sei[1]. Denn es
erweist sich, daß einerseits einige Elemente des Tageliedes
mit den höfischen Bedingungen übereinstimmen, während andere
Elemente denen widersprechen.

Kann nun allerdings nachgewiesen werden, daß die Haltung
der Frau im Tagelied eine vor-höfische ist, also aus gesellschaftlichen Strukturen stammt, die vor der höfischen Zeit
liegen, so kann damit eine literarische Tradition bezeugt werden, auch wenn keine Dokumente vorliegen. Hier kommt noch hinzu, daß es ohnehin außergewöhnlich innerhalb der Literatur
wäre, wenn die mittelhochdeutsche Dichtung ohne Tradition aus
dem Nichts entstanden wäre. Wer hier positivistisch argumentieren will und auf die mangelnde Überlieferung verweist, muß
zunächst einmal eine Erklärung für diesen außergewöhnlichen
Tatbestand abgeben, d.h., daß die Beweislast auf seiten des-
jenigen liegt, der jegliche literarische Tradition vor dem
Einsetzen der schriftlichen Überlieferung der mittelhochdeutschen Lyrik leugnet.

Wir sind hierbei noch in der angenehmen Lage, nicht nur
theoretisch deduktiv argumentieren zu müssen, sondern aufgrund der Forschung von T.Frings[2] auch Umrisse einer solchen
Literatur, die vor der schriftlichen Überlieferung liegt oder
von ihr nicht (z.B. aus ideologischen Gründen) erfaßt wurde,
nennen zu können[3]. Demnach sind u.a. folgende Elemente des
mittelhochdeutschen Tageliedes, die auch in Opposition zu denen des Hohen Minnesangs stehen, kongruent mit denen der
'volkstümlichen' Lyrik: LGa, LGb, LGn, KU, TR, UAu, WE.

---

1) Vgl. L.Spitzer (1952).
2) T.Frings (1949), (1957), (1967).
3) Vgl. die grundsätzliche Erörterung des Problems einer
   nicht schriftlich tradierten Literatur bei H.Kuhn (1969)
   S.41-61.

## 4.3. T a g e l i e d   u n d   s o g e n a n n t e r   H o h e r   M i n n e s a n g

Welche Probleme, welche Vorurteile im Hinblick auf den Begriff der Minne und die Stellung der Frau im Minnesang die
Forschung bis heute pflegt, wurde in Kapitel 1 angedeutet.
Die LISTEN 5 in Kapitel 3 haben gezeigt, welche Rolle die Frau
im Tagelied spielt. In 4.2 haben wir Grundsätzliches zur sozialen Realität dieser Zeit im Hinblick auf die Frau ausgeführt. Es ist deshalb notwendig, die Problematik nun zusammenfassend zu erörtern, was im Rahmen dieser Arbeit natürlich
nur ansatzweise geschehen kann, denn um die Frage für die mittelhochdeutsche Lyrik auszudiskutieren, wäre eine Inhaltsanalyse aller Lieder, mindestens jedoch eines repräsentativen
Corpus nötig.

Das, was unter Minne im 'Hohen Minnesang' zu verstehen sei,
wurde zuletzt von M.Titzmann (1971) zusammengestellt, wobei
zu bemerken ist, daß es zum ersten Mal in einer übersichtli-
chen Form geschieht. Demnach sieht der Merkmalkomplex der Minne (im Gegensatz zu Neidhart von Reuenthal) folgendermaßen
aus:

"(1) Beziehung innerhalb einer Gruppe - (2) evt. soziales
Gefälle von Frau zu Mann - (3) Werben des Mannes durch
Dienst - (4) Verborgenheit der Minne - (5) prinzipiell Miß-
lingen physischer Erfüllung - (6) kaum direkte Benennung
sexueller Implikationen oder ihrer Folgen - (7) als Gegner
evt. nîder und mit unbestimmtem Status ohne erkennbare in-
dividuelle Motivationen - (8) unbestimmtes Alter der Beteiligten - (9) nicht präzisierter Familienstand der Frau
(verheiratet?), ganz unbestimmt für den Mann - (10) zeit-
lose Treue - (11) Isolierung der Beteiligten aus ihrer Umwelt"[1].

Übereinstimmung mit dem Tagelied besteht bei:
Position  1  (rîter, frouwe)
Position  4  (Element HM)

---

1) Titzmann (1971) S.494. Wir haben zur besseren Übersicht

Position 7 (MR, GF)
Position 8 (ebenso negativ)
Position 9 (ebenso negativ)
Position 10 (TR)

Diskrepanz zum Tagelied besteht bei:
Position 3 (LISTEN 5)
Position 5 (Konstituente 'Erotik')
Position 6 (desgl.)

Unbestimmt sind:
Position 2
Position 11 (Einerseits Wächter als Teilhaber mit Sorge
und Hilfsbereitschaft, andererseits diese
nur aus dem Grund, um 'Umwelt' nicht teilha-
ben zu lassen).

Fassen wir zusammen, so besteht in zwei von der bisherigen
Forschung absolut gesetzten Positionen[1] keine Übereinstimmung:
"Werben des Mannes" und "Erotik".

Da wohlgemerkt der Minnebegriff im M i n n e s a n g
(so der Titel von Zundels Arbeit) zur Debatte steht, muß mit
diesem Vergleichsergebnis die Auffassung über die Lyrik des
genannten Zeitraumes revidiert werden, die entweder in einer
deutlichen Abgrenzung eines Minnesangs (mit Ausbleiben von
Erotik, Werbung des Ritters) von den übrigen Liedern oder
aber im Aufstellen eines neuen literarischen Systems besteht,
welches dann Tagelied, Hohen Minnesang und andere Ausprägun-
gen (z.B. Walthers Mädchenlieder, Neidhart) einbeziehen kann.
Nur eines ist fortan unmöglich: Die Darstellung eines Teiles
der mittelhochdeutschen Lyrik als des Ganzen, welches Verfahren die wissenschaftliche Erforschung jahrzehntelang beein-
trächtigt hat, und das ohne Zweifel seinen Grund in der Affi-
nität einer bürgerlichen Ideologie mit der im sogenannten
Hohen Minnesang zum Ausdruck gebrachten Sublimierung der Erotik bei gleichzeitiger Steigerung in unerreichbare 'sittliche
Höhen' hat - so z.B. die Konstruktion bei de Boor (II,9 ff).

---

die Zahlen der Positionen eingefügt.
1) Vgl. de Boor (II) S.9 ff.; R.Zundel (1956) S.7-16.

So weit das von unseren Ergebnissen zu überblicken ist,
neigen wir natürlich zur zweiten Möglichkeit, dem neu zu bil-
denden literarischen System. Denn die Abgrenzung eines speziellen Minnesangs dürfte angesichts der weitgehenden Übereinstimmung von in unserem Falle Tagelied und speziellem Minnesang schwer fallen, so daß das Gewicht der Diskrepanzen einerseits dadurch vermindert und andererseits durch eine neutrale-
re Sehweise fast aufgehoben ist. Zumal die Übereinstimmung ja
noch viel weiter geht; formal können keine Abweichungen festgestellt werden, und von den Personen der Autoren her gesehen,
ist offensichtlich kein Unterschied intendiert, da sie z.T.
Lieder des speziellen Minnesangs und auch Tagelieder verfaßt
haben.

Hinsichtlich der weiter oben (4.2) angeführten sozialen
Realität und ihrem Niederschlag in der Literatur scheint sich
nun ein Widerspruch einzustellen, der allerdings nur schein-
bar besteht (soziale Realität: Dominanz der Frau - Tagelied:
Dominanz des Mannes). Soziale Realität und literarische Tradition verändern sich historisch auf ihren jeweils eigenen
Achsen, d.h. beide Bereiche haben ihre Eigenbewegung, wobei
die Einflußnahme fast ausschließlich von ersterer auf letztere gilt, ohne daß diese nun gleich total sein muß. Innerhalb
ihrer Flexibilität übernehmen die Dichter Phänomene der sozialen Realität (hier: den Wandel der Stellung der Frau),
sind aber hierbei einerseits der literarischen Tradition ver-
pflichtet (in Negation oder Position) und andererseits den
herrschenden sozialen Realitäten: Im Volke wirbt in dieser
Zeit die Frau um den Mann[1].

Hieraus wird wiederum ein Argument für die Erstellung eines
literarischen Systems, zu dem in der Arbeit von M.Titzmann
(1971) auch von anderer Seite (Neidhart) Ansätze vorliegen.
Literatur spiegelt soziale Realität, allerdings nicht in di-
rekter Weise, so daß sie nicht als unmittelbares soziales Do-
kument zu gelten hat. In der mittelhochdeutschen Lyrik sind
genügend Anzeichen dafür vorhanden, daß neben einer höfisch-
aristokratischen Auffassung auch andere Tendenzen vorhanden sind.

---

1) A.Hauser (1957) S.87.

5.   Zusammenfassung

In Kapitel 1 hatten wir zwei Probleme benannt, die im Zusammenhang mit dem mittelhochdeutschen Tagelied auftreten.
Das war zum einen die Materialdarstellung, was wir mit dem Kapitel 3 (aufgrund des Verfahrens der Inhaltsanalyse, Kapitel
2) als gelöst ansehen können, das waren zum anderen die literarhistorischen Fragen, deren Grundlagen wir in Kapitel 4 diskutiert haben und die nun eine endgültige Klärung erfahren
sollen, da diese nur im Zusammenhang geleistet werden kann.

Geht man von den Ergebnissen der Untersuchungen zu Datierung, Konstituentenvergleich und Wächterfigur aus, so stellt
sich heraus, daß die extreme Position (weitgehender Abhängigkeit des mittelhochdeutschen Tageliedes) nicht haltbar ist.
Denn wenn auch eine Eigenständigkeit nicht endgültig und exakt erwiesen werden kann, so wäre es andererseits ein Vorur-
teil, die Anzeichen dafür zu übersehen. Da die mittelalterli-
che Philologie sich aber prinzipiell in einer schlechten Be-
weislage befindet, wollen wir trotz deutlicher Wahrscheinlichkeiten bzw. Widerlegung von Vorurteilen keine neue These aufstellen. Die Schwierigkeit liegt nämlich fortan immer noch
darin, daß die Fakten nur relativ gesehen werden können, daß
die Elle, an der sie gemessen werden können, wohl kaum gefunden werden kann. Denn woher soll in der Datierung der Maßstab
genommen werden, der das provenzalische Tagelied vor dem mittelhochdeutschen ansetzt? Woher soll der Maßstab genommen werden, der entscheidet, ob allgemeine, weltliterarische Konstituenten des Tageliedes für eine spezielle Abhängigkeit zeugen
können, während sublime Differenzen und Diskrepanzen in vielen Bereichen (s.oben Kap. 4.1.3.) nicht gelten sollen? Wer
soll beurteilen, ob eine in der Epik bezeugte Wächterfigur,
die zudem Konstituentengleichheiten mit dem Wächter im Tagelied aufweist, von der Lyrik übernommen werden kann, ob diese
ein Vorhandensein in der Lyrik bezeugt, ob das 'man' in MF
39.19[1] eben dieser Wächter ist? Wer soll beurteilen, ob die

---

1) Damit wollen wir aber nicht so weit gehen wie Saville
   (1972, 270 Anm.6), der die ganze Diskussion um ein auto-
   chothones Tagelied auf die paläographische Interpretation
   von drei Buchstaben reduziert sieht und dabei alle anderen

Argumentationen hinsichtlich nicht überlieferter Literatur im
Hinblick auf das Tagelied und sein vorausgesetztes Vorbild
Alba gelten soll?

Damit sind die Erörterungen von Indizien jedoch nicht er-
schöpft. Es können noch weitere Erwägungen angestellt werden.

Zunächst einmal fällt auf, daß das Mittelhochdeutsche, wenn
es die Sache übernommen hat, nicht auch die ursprüngliche Be-
zeichnung für sie verwendet. Daß dies durchaus üblich war,
zeigen die Beispiele afrz. 'pastourelle' - mhd. 'pasturele'[1]
und prov. 'stampida' - mhd. 'stampenie'[2] mit vielen Belegen.
Prov. 'alba' - als Gattungsname bezeugt[3] - taucht im Mittelhochdeutschen nicht auf; das Mittelhochdeutsche verwendet
einen eigenen Ausdruck dafür: 'tageliet'[4]. Das besagt selbstverständlich nicht viel. Die übernommene Sache kann durchaus
eigene Ausdrücke der Sprache aktiviert haben. Aber wir entnehmen auch hieraus einen Hinweis.

Ferner ist zu bedenken, daß wir das Lied "Owe, sol aber
mir iemer me" (MF 143,22) des Heinrich von Morungen nicht in
das Corpus aufgenommen haben und daß dies zusammen mit den
Tageliedanklängen bei Reinmar (MF 154,32 und MF 161,15) in
der Abhängigkeitsdiskussion berücksichtigt werden muß. Denn
beide Autoren sind älter als Wolfram und bezeugen mit ihren
Variationen (Morungen) bzw. Anspielungen (Reinmar) einen hohen
Bekanntheitsgrad dieser speziellen Gattung[5] für die Zeit der
Jahrhundertwende (12. auf 13. Jh.), so daß von daher gesehen,
die Entstehung des mittelhochdeutschen Tageliedes auch ohne
direkte Datierungsmöglichkeit auf alle Fälle Ende des 12.
Jahrhunderts anzusetzen ist. Damit müßten wir - immer vorausgesetzt, die Datierung der romanischen Tagelieder kann als

---

Argumente schon vorher ausgeschaltet hat (s.o. Kap. 4.1.3.4).
1) Vgl. M.Lexer (1872, Bd.2) S.211.
2) Vgl. Benecke-Müller-Zarncke (1854), 566-67.
3) Vgl. den prov. Traktat 'De Doctrina de comprendre dictats'
   aus dem 13. Jh., § 10, wo über die alba gehandelt wird:
   Abgedruckt bei: Woledge (1965) S.379.
4) Vgl. 'Liet von Troje' v. 4179; Walther 89, 35 und 90, 19,
   vor allem aber Ulrich von Lichtenstein, Frauendienst vv.
   1621 ff.
5) Variation von etwas oder Anspielung auf etwas setzt ja den
   Bezugspunkt (Tagelied) logisch voraus.

gesichert gelten - ein gleichzeitiges Entstehen einer Gattung
in beiden Nationalliteraturen konstatieren.

Darüber hinaus muß auch an dieser Stelle der Sammelband
'EOS' (= Hatto, 1965) erwähnt werden, der zum Ergebnis hat,
daß, wenn eine kulturell einheitliche Gruppe Lyrik besitzt,
sie n o r m a l e r w e i s e auch über die Gattung Tagelied verfügt. Der Akzent liegt auf 'normalerweise'; denn betrachtet man ein zeitlich zurückliegendes literarisches Schaf-
fen, so muß der allgemeine Standpunkt zunächst einmal der sein,
daß diese Lyrik in ihrer Erscheinungsweise ein Analogon zu
schon bekannten ist. Dies ist die Regel, die sich aus einer
allgemeinen Betrachtung ergibt. In dem speziellen Falle der
Literatur vor dem Einsetzen der schriftlichen Überlieferung
heißt das: auch wenn keine direkten Zeugnisse darauf hinwei-
sen, so muß davon ausgegangen werden, daß es in dieser Lyrik
auch ein Tagelied gibt, denn das Anderssein dieser Lyrik wäre
als eine Ausnahme erst zu erweisen. Daraus ergibt sich das
allgemeine Urteil: es ist nicht zu erweisen, daß es ein Tagelied gegeben hat, sondern daß diese Lyrik eine Ausnahme ist
und es aus diesem Grunde ein Tagelied nicht gegeben haben
kann. Anders ausgedrückt: die Wahrscheinlichkeit, die sich
aus dem Vergleich mit der Weltliteratur ergibt, spricht für
ein Vorhandensein dieser Gattung, die 'Beweisnot' - um diesen
juristischen Terminus zu gebrauchen - besteht für diejenigen,
die dem frühen Mittelhochdeutschen diese Gattung absprechen
wollen.

Es könnten nun noch weitere Indizien gesammelt werden -
z.B. ist ja die Diskussion um das anonyme Lied Ncb aus Carmina Burana keineswegs als abgeschlossen zu betrachten, und es
ist durchaus plausibel, diese Verse 1. früh zu datieren und
2. einem Wächter zuzuschreiben [1] -, ohne daß jemals der für
eine exakte Beweisführung erforderliche feste Bezugspunkt
greifbar würde.

Auch könnte nun anhand der erarbeiteten Unterlagen und der
Argumente eine Hypothese über die Entstehung des mittelhochdeutschen Tageliedes aufgestellt werden, die in einer Syn-

1) Vgl. Hatto (1962) S.505 und P.Dronke (1962).

these aus Abhängigkeitsthese und Eigenständigkeitsthese bestehen müßte. Ausgangspunkt wäre dann die gesellschaftliche
und damit auch kulturelle Dominanz des Provenzalischen, wo ja
ohne Zweifel die höfische Gesellschaft und ihre kulturelle
Bedeutung wesentlich früher entstanden ist als im mittelhochdeutschen Sprachgebiet. Unter dem Eindruck dieser höfischen
Kultur aktivierten die Dichter vorhandene literarische Formen,
die sowohl in einer vorhöfischen, aber feudalen Gesellschaft,
aber auch in anderen sozialen Formationen gepflegt wurden,die
allerdings der Verschriftlichung entgingen.

Dieser Eindruck kann ganz allgemeiner Art sein - also nur
den höfischen Bezugsrahmen betreffen -, er kann aber spezieller sein - die Alba ist direktes Vorbild -, in jedem Fall ist
die Thematik des Tageliedes in die höfische Auffassung inte-
grierbar, denn Abschied und Trennung entspricht der Entsagung
im Minnesang[1] und kann somit von der dominierenden höfischen
Gesellschaft akzeptiert werden. Hierbei kann die so oft zi-
tierte Figur des Wächters direkt aus der Alba übernommen worden sein, was aber aufgrund anderer Fakten nicht so sein muß.
Zwar wird mit der literarischen Tradition einer Wächterfigur
im Mittelhochdeutschen und seiner allgemeinen aristokratischen Konzeption (feudal figur)[2] nicht das Gegenteil bewiesen,
aber doch eine andere Möglichkeit eröffnet (Aktivierung eines
vorhandenen mittelhochdeutschen Wächterliedes)[3]. Insgesamt
steht das höfische Tagelied wiederum in Verbindung mit einer
nachfolgenden, endlich schriftlichen Tradition[4], die gleich-
wohl schon neben dem höfischen Tagelied bestanden haben kann.

So etwa könnte eine Hypothese formuliert werden, die aufgrund unserer Untersuchungen und ihrer Ergebnisse erstellt
werden kann. Doch muß hier gefragt werden, ob diese Ergebnisse nicht ganz anders aufzufassen sind, ob nicht die Hypothese
genau das verdecken würde, was als Ergebnis eigentlich festgestellt werden kann. Wir haben die Hypothese im Konjunktiv

---

1) Vgl. H.Kuhn (1969) S.9.
2) Hatto (1965) S.76.
3) Vgl. F.Neumann (1965) S.306.
4) Vgl. hierzu de Gruyter (1887), Nicklas (1929), Mayer-Rosa
   (1938).

vorgebracht, weil wir der Ansicht sind, daß sie nicht das einzige Ergebnis unserer Untersuchung sein kann. Wir haben alle
gängigen Thesen hinsichtlich des Tageliedes überprüft und diskutiert. Dabei hat sich herausgestellt, daß sie alle ohne ein
festes Bezugssystem sind, was manchmal sogar erkannt und dann
beklagt wurde. Die intensive Prüfung, die Diskussion jedweder
Gesichtspunkte hat nur erbracht, daß letztendlich die Frage
nach den Beziehungen zwischen der Alba und dem mittelhochdeutschen Tagelied nicht geklärt werden können. Die Verschiebbar-
keit von Argumenten, die lediglich mit Wahrscheinlichkeiten
einigermaßen gebunden werden kann, enthüllt das Elend der älteren deutschen Philologie, die von Nationalliteraturen aus-
ging, Abhängigkeiten und Eigenständigkeiten eruieren wollte,
im Bereich der Erotik Restriktionen erstellte, und die aufgrund dieses Ansatzes und ihrer Fragestellung innerhalb der
Literaturgeschichtsschreibung keine greifbaren Ergebnisse liefern konnte, sondern es bestenfalls zu einem Patt der Argumente brachte. Hiermit wird nicht im mindesten die verdienstvol-
le Arbeit innerhalb der Textkritik und auf dem Gebiet der bio-
graphischen Erforschung abgelehnt. Sie ist im Gegenteil not-
wendiger Bestandteil einer Literaturgeschichtsschreibung, die
aber dann endlich da ansetzt, wo sie auch tatsächlich Ergebnisse liefern kann.

Die soziale Realität (feudal-höfische Gesellschaft) bietet
in ihrer Geschlossenheit ein einmaliges Objekt für eine Literaturgeschichtsschreibung, die hieran ganz bestimmte Model-
le erproben kann. Diese Literaturgeschichte ist nur aufgrund
der Erarbeitung des Systems der mittelhochdeutschen Literatur
der sogenannten Blütezeit[1] denkbar, welches ebensolchen Mo-
dellcharakter hat (inhaltlich bestimmt, sprachlich geschlos-

---

1) Dieses System ist natürlich auf weite Strecken schon bekannt, doch fehlen einerseits die Verbindung von Komplexen untereinander und andererseits die Bestimmungen von
   Stellenwerten einzelner Konstituenten. Am Beispiel der
   Stellung der Frau erläutert: ersteres gilt für den Vergleich von Frau in der Epik und in der Lyrik (Wolfram!),
   letzteres gilt für die Bestimmung der Frau als unnahbarem
   Wesen, das sich der Erotik entzieht (Gegenbeispiel: Tagelied, Walther).

sen). Als Voraussetzung für dieses neue Unternehmen sehen wir
auf der einen Seite die Untersuchungen zur sozialen Realität
dieser Zeit und auf der anderen Seite die Erforschung der literarischen Systematik.Letzteres wird nur möglich sein, wenn
eine konsequente Inhaltsanalyse aller literarischen Produkte
durchgeführt wird und alle Konstituenten herausgearbeitet werden. Es ist erfreulich, daß unser Beitrag diese Absicht nicht
als einziger zu verwirklichen sucht, sondern daß ähnliche,
wenn nicht gleiche Tendenzen auch in anderen Arbeiten auszu-
machen sind[1].

---

1) Vgl. z.B. M.Titzmann (1971).

6. Literaturverzeichnis

B. Allemann (1969) :
    Strukturalismus in der Literaturwissenschaft? In:An-
    sichten einer künftigen Germanistik. München (=Reihe
    Hanser Bd.29), 143-152.

K. Bartsch (1883) :
    Die romanischen und deutschen Tagelieder. In: Gesam-
    melte Vorträge und Aufsätze. Freiburg und Tübingen,
    250-317.

O. Basler (1930) :
    Rezension von F.Nicklas, Untersuchungen über Stil und
    Geschichte des Deutschen Tageliedes. In: Literari-
    scher Handweiser 1929/1930,Heft 12, 945.

U.Baumann (1971) :
    Psychologische Taxometrie.  Bern.

G.F. Benecke (1874) :
    Wörterbuch zu Hartmanns Iwein. 2.Ausgabe,besorgt von
    E.Wilken. Neudruck der Ausgabe v. 1874. Wiesbaden 1965.

Benecke - Müller - Zarnke (1854) :
    Mittelhochdeutsches Wörterbuch. Leipzig 1854-1861,
    3 Bde.

K. Bertau (1972) :
    Deutsche Literatur im europäischen Mittelalter. Bd.1:
    800-1197. München.

H. de Boor (II) :
    Die höfische Literatur. Vorbereitung, Blüte und Aus-
    klang. München, 5.Aufl., 1962.

H. de Boor (III,1) :
    Die deutsche Literatur im späten Mittelalter. Zerfall
    und Neubeginn. Erster Teil:1250-1350. München 1962.

K.H. Borck (1959) :
    Wolframs Lieder. Philologische Untersuchungen. Mün-
    ster 1959, Habil.Schrift masch.

H. Brackert (1965) :
    Der Marner. Repogr. und erg. Nachdruck der Ausgabe
    von P.Strauch, Straßburg 1876. Berlin.

H. Brackert (1966) :
    Rezension der Ausgabe: 'Graf Rudolf' hrsgg. von P.F.
    Ganß, Berlin 1964. In:Euphorion 60, 139-154.

C. Bremond (1964) :
    Le message narratif.  In: Comm. 4, 4-32.

J. Bumke (1967) :
    Die romanisch-deutschen Literaturbeziehungen im Mittel-
    alter. Heidelberg.

J. Bumke (1970) :
        Die Wolfram von Eschenbach-Forschung seit 1945.
        München.


C. Du Cange (1954) :
        Glossarium Mediae et Infimae Latinitatis. Unveränder-
        ter Nachdr. der Ausg. v. 1883-1887, Graz.

E. Coseriu (1971) :
        Thesen zum Thema 'Sprache und Dichtung'. In: Beiträge
        zur Textlinguistik. Hrsgg. v. W.D. Stempel, München,
        183-188.


L. Dolezel (1965) :
        Zur statistischen Theorie der Dichtersprache. In: Ma-
        thematik und Dichtung. Versuche zur Frage einer exak-
        ten Literaturwissenschaft. Zus. mit R. Gunzenhäuser
        hrsgg. v. H.Kreuzer. München, 275-293.

P. Dronke (1962) :
        A Critical Note on Schumann's Dating of the Codex
        Buranus.  In: PBB (T) 84, 173-183.

P. Dronke (1968) :
        The Medieval Lyric. London.


N. Elias (1969) :
        Die höfische Gesellschaft. Untersuchungen zur Sozio-
        logie des Königtums und der höfischen Aristokratie.
        Neuwied und Berlin (= Sotiologische Texte Bd.54).


H. Friedrich (1967) :
        Strukturalismus und Struktur in literaturwissenschaft-
        licher Hinsicht. Eine Skizze.  Abgedr. in: G.Schiwy,
        Der französische Strukturalismus. Reinbek 1969
        (= rde 310/311), 219-227.

T. Frings (1949) :
        Minnesinger und Troubadours (1949).  Abgedr. in: Der
        deutsche Minnesang. Hrsgg. v. H.Fromm. Darmstadt,1963.

T. Frings (1957) :
        Frauenstrophe und Frauenlied in der frühen deutschen
        Lyrik. In: FS H.A. Korff. Leipzig, 13-28.

T. Frings (1967) :
        Namenlose Lieder. In: PBB (H) 88, 307-329.


P.F. Ganß (1964) :
        Graf Rudolf.  Hrsgg. von P.F.Ganß. Berlin (=Philolo-
        gische Studien und Quellen 19).

F. Genzmer (1934) :
    Edda. Übertragen von F. Genzmer. Bd.1 Heldendichtung.
    Einleitung und Anmerkungen von A.Heusler u. F.Genzmer.
    Jena, 4.Auflage.

H.H. Glade (1968):
    Rezension von:Mathematik und Dichtung. Hrsgg. von
    H. Kreuzer. München 1967, 2.Aufl.  In: alternative
    62/63, 224-226.

R. Grimminger (1969) :
    Zu einer Poetik der Typen. In: Werk - Typ - Situation.
    Studien zu poetologischen Bedingungen in der älteren
    deutschen Literatur. (= FS für Hugo Kuhn). Stuttgart,
    371-381.

W. de Gruyter (1887) :
    Das deutsche Tagelied.  Diss. Leipzig.


K. Halbach (1931).
    Geschichte der altdeutschen Literatur: Minnesang und
    klassische staufische Pyrik. Literaturbericht von Kurt
    Halbach. In: Zeitschrift für deutsche Bildung 7, 540.

K. Halbach (1965) :
    Walther von der Vogelweide. Stuttgart.

A. Hatto (1962) :
    Das Tagelied in der Weltliteratur. In:DVjs 36, 489-506.

A. Hatto (1965) : Eos. An Enquiry into the Theme of Lovers'
    Meetings and Partings at Dawn in Poetry. Ed. by A.T.
    Hatto. London, The Hague, Paris.

K. Hauser (1957) :
    Sozialgeschichte der mittelalterlichen Kunst. Hamburg
    (= rde Bd. 45).

H. Henne (1972) :
    Semantik und Lexikographie. Untersuchungen zur lexika-
    lischen Kodifikation der deutschen Sprache. Berlin.

J. Hermand (1969) :
    Synthetisches Interpretieren. Zur Methodik der Litera-
    turwissenschaft. München, 2.Aufl.

J. Hermand (1970) :
    Probleme der heutigen Gattungsgeschichte. In: JB Int.
    Germ. II,1, 85-94.

A. Hill (1951) :
    Towards a Literary Analysis. In: English Studies in
    Honor of James S. Wilson. University of Virginia
    Studies 4, Charlottesville, Virginia, 147-165.

J. Ihwe (1971a) :
Kompetenz und Performanz in der Literaturtheorie. In:
Probleme und Fortschritte der Transformationsgrammatik.
Referate des 4. Linguistischen Kolloquiums. Hrsgg. von
D. Wunderlich, München, 287-299 (=Linguistische Reihe
Bd.8).

J. Ihwe (1971b):
Literaturwissenschaft und Linguistik. Ergebnisse und
Perspektiven. Bd. 1-4. Hrsgg. von J.Ihwe, Frankfurt
1971 ff.

W.T.H. Jackson (1967) :
Die Literaturen des Mittelalters. Heidelberg.

D. Jaehrling (1970) :
Die Lieder Ottos von Bodenlouben. Hamburg (= Geistes-
und Sozialwissenschaftliche Dissertationen Bd. 5).

A. Jeanroy (1934) :
La Poésie lyrique des Troubadours. 2 Bde., Paris.

G. Jungbluth (1963) :
Zu Dietmars Tagelied. In: FS U. Pretzel. Berlin,
118-127.

F. Karg (1925) :
Hypotaxe bei Hartmann von Aue (Syntaktische Studien 2).
In: FS Sievers. Halle/S., 445-477.

D. Kartschoke (1972) :
Ein sumer bringet. Zu Wolframs Tagelied 'Von der zinnen
wil ich gen'. In: Euphorion 66, 85-91.

Kleines Literarisches Lexikon (1966) :
Bd. III. Sachbegriffe. Hrsgg. von H.Rüdiger und E.Koppen.
Bern und München, 4.erw.Aufl.

U. Knoop (1974a) :
Die Begriffe 'Unendlichkeit' und 'Kreativität' in der
Theorie der generativen Transformationsgrammatik - eine
kritische Analyse. In: Deutsche Sprache 2, 11-31.

U. Knoop (1974b) :
Sprachbegriff und Sprachunterricht. Eine Kritik der
Hessischen Rahmenrichtlinien - Sekundarstufe I: Deutsch.
In: Germanistische Linguistik 1-2/74, 37-71.

U. Knoop (1975) :
Die Historizität der Sprache. In:     Sprachtheorie.
Hrsgg. von B.Schlieben-Lange, Hamburg, 165-187.

E. Köhler (1970) : Vergleichende soziologische Betrachtungen
zum romanischen und zum deutschen Minnesang. In: Der
Berliner Germanistentag 1968. Vorträge und Berichte.
Hrsgg. von K.H.Borck und R. Henss. Heidelberg.

H. Kolb (1958) :
    Der Begriff der Minne und das Entstehen der höfischen
    Lyrik.  Tübingen (= Hermea Bd.4).

C.v.Kraus (1939) :
    Minnesangs Frühling. Untersuchungen. Leipzig.

C.v.Kraus/H.Kuhn (1958) :
    Deutsche Liederdichter des 13. Jahrhunderts. Hrsgg. von
    C. v.Kraus. Bd.II,Kommentar. Besorgt von H.Kuhn, Tü-
    bingen.

J. Kröll (1960) :
    Otto von Botenlauben. In: Archiv für die Geschichte
    von Oberfranken, 40, 83-107.

W. Krogmann (1968) :
    Die Heimat Walthers von der Vogelweide. In: Verhandlun-
    gen des II. Internationalen Dialektologenkongresses
    1965. Hrsgg. von L.E. Schmitt. Wiesbaden, Bd.2,491-528.

H. Kuhn (1967) :
    Minnesangs Wende.  Tübingen, 2.Aufl. (= Hermea NF Bd.1).

H. Kuhn (1969) :
    Dichtung und Welt im Mittelalter. Stuttgart.


K. Langosch (1960) :
    Waltharius, Ruodlieb, Märchenepen. Lateinische Epik
    des Mittelalters mit deutschen Versen. Darmstadt, 2.
    Aufl.

E. Leibfried (1970) :
    Kritische Wissenschaft vom Text. Manipulation, Reflexion,
    transparente Poetologie. Stuttgart.

R. Leppin (1961) :
    Der Minnesänger Johannes Hadloub. Monographie und Text-
    kritik. phil.Diss. masch. Hamburg.

M. Lexer (1872, Bd.1) :
    Mittelhochdeutsches Handwörterbuch, Bd.1, Leipzig.

H.H. Lieb (1966) :
    Das Sprachstadium: Entwicklungsabschnitt und System?
    In: Lingua 16, 352-363.


N. Mayer-Rosa (1938) :
    Studien zum deutschen Tagelied. Untersuchungen zur Grup-
    pe "Tagelieder" in Uhlands Sammlung "Alte hoch- und
    niederdeutsche Volkslieder". Tübingen (Diss.).

W. Mohr (1948) :
    Wolframs Tagelieder. In: Festschrift Kluckhohn/Schnei-
    der. Tübingen, 148-165.

U. Müller (1971) :
> Ovid 'Amores' - alba - tageliet. Typ und Gegentyp des 'Tageliedes' in der Liebesdichtung der Antike und des Mittelalters. In: DVjs 45, 451-480.

J. Mukarovsky (1970) :
> Die Kunst als semiologisches Faktum (1934). In: J.M., Kapitel aus der Aesthetik. Frankfurt/M., 138-147.

E. Nellman (1974) :
> 'Swie der tac erschein'. Zu Wolframs erstem Tagelied. In: FS H.Moser. Hrsgg. von W.Besch et al., Berlin, 113-118.

F. Neumann (1952) :
> Herbort von Fritzlar. In: Zeitschrift des Vereins für Hessische Geschichte 63, 38-50.

F. Neumann (1955) :
> Der Markgraf von Hohenburg. In: ZDA 86, 119-160.

F. Neumann (1965) :
> Artikel 'Minnesang' in: Reallexikon der deutschen Literaturgeschichte. 2.Aufl. hrsgg. von W.Kohlschmidt und W.Mohr, Bd. 2 (L-O), Berlin.

F. Nicklas (1929) :
> Untersuchungen über Stil und Geschichte des deutschen Tageliedes. Berlin (= Germanische Studien Bd.72).

F. Ohly (1940) :
> Sage und Legende in der Kaiserchronik. Münster.

F.H. Oppenheim (1962) :
> Der Einfluß der französischen Literatur auf die deutsche. In: Deutsche Philologie im Aufriß. Hrsgg. von W. Stammler, 2. überarb. Aufl., Berlin, Bd.3, Sp. 1-1o6.

H. Paul (1960) :
> Mittelhochdeutsche Grammatik. 18.Aufl. bearb. von W. Mitzka, Tübingen.

K.R. Popper (1966) :
> Logik der Forschung. Tübingen.

Reallexikon (1965) :
> Reallexikon der deutschen Literaturgeschichte. (2.Aufl.) Hrsgg. von W. Kohlschmidt und W. Mohr. Bd.2 (L-O), Berlin.

D. Rieger (1971) :
   Zur Stellung des Tageliedes in der Trobadorlyrik. In:
   ZrPh 87, 223-232.

Robertson / Purdie (1968) :
   Geschichte der deutschen Literatur. Göttingen.

G. Roethe (1890) :
   Rezension von: W. de Gruyter, Das deutsche Tagelied.
   In: ADA 16, 76-97.


J. Saville (1972) :
   The medieval erotic Alba. Structure and meaning. New
   York, London.

J. Schäfer (1966) :
   Walther von der Vogelweide und Frauenlob. Tübingen.

U. Scheil (1962) :
   Zur Genealogie der einheimischen Fürsten von Rügen.
   Köln/Graz.

W. Scherer (1891) :
   Deutsche Studien I und II. Leipzig, 2.Aufl.

G. Schläger (1895) :
   Studien über das Tagelied. Jena, phil.Diss.

S.J. Schmidt (1971) :
   Allgemeine Textwissenschaft. In: Linguistische Berichte 12, 10-21.

H. Schottmann (1971) :
   Mittelhochdeutsche Literatur: Lyrik.  In: Kurzer Grund-
   riß der germanischen Philologie bis 1500. Hrsgg. von
   L.E.Schmitt, Bd.2: Literaturgeschichte, Berlin, 464-527.

E. Schröder (1895) :
   Die Kaiserchronik eines Regensburger Geistlichen. Hrsgg.
   von E.Schröder, Berlin (= Monumenta Germ.Hist.,Tom.I).

R.R. Sokal und P. Sneath (1963) :
   Principles of Numerical Taxonomy. San Francisco, London.

L. Spitzer (1952) :
   Die Mozarabische Lyrik und die Theorien von Th.Frings
   (1952). In : Der Provenzalische Minnesang. Hrsgg.v.H.
   Baehr, Darmstadt 1967, 198-230.

H. Stopp (1970) :
   Zu Morungens Tagelied. In: Euphorion 64, 51-58.


H. Thomas (1939) :
   Untersuchungen zur Überlieferung der Spruchdichtung
   Frauenlobs. Leipzig (= Palästra 217).

M. Titzmann (1971) :
      Die Umstrukturierung des Minnesang-Sprachsystems zum
      'offenen' System bei Neidhart. In: DVjs 45, 481-504.


D.J. Veldman (1967) :
      Fortran Programming for the Behavioral Sciences.
      New York.

Verfasserlexikon (Bd. I - IV) :
      Die deutsche Literatur des Mittelalters. Verfasserlexi-
      kon. Hrsgg. von W.Stammler und K.Langosch, 5 Bde. Ber-
      lin, 1933-1955.


P. Wapnewski (1958) :
      Wolframs Walther-Parodie und die Reihenfolge seiner
      Lieder. In: GRM 39, 321-332.

P. Wapnewski (1964) :
      Hartmann von Aue. Stuttgart, 2.Aufl.

P. Wapnewski (1966) :
      Walther von der Vogelweide. Gedichte. Ausgewählt, über-
      setzt und mit einem Kommentar versehen von Peter Wapnews-
      ki, Frankfurt, 4. neu durchgesehene und erw. Aufl.
      (= Fischer Bücherei Nr. 732).

P. Wapnewski (1970) :
      Wolframs Tagelied 'Von der zinnen wil ich gen...'.
      In: Wolfram-Studien. Hrsgg. von W.Schröder, Berlin,
      9-27.

P. Wapnewski (1972) :
      Die Lyrik Wolframs von Eschenbach. Edition, Kommentar,
      Interpretation.   München.

R. Wellek / A.Warren (1959) :
      Theorie der Literatur. Homburg.

M. Wehrli (1962) :
      Deutsche Lyrik des Mittelalters. Hrsgg. von M.Wehrli.
      Zürich, 2.Aufl.

F.-W. Wentzlaff-Eggebert (1970) :
      Deutsche Literatur im späten Mittelalter. 1250-1450.
      Bd.I: Rittertum und Bürgertum, Reinbek (= rde 350-52).

H.E. Wiegand (1972) :
      Studien zur Minne und Ehe in Wolframs Parzival und
      Hartmanns Artusepik. Berlin (= QuF Bd.49).

G. Wienold (1969) :
      Probleme der linguistischen Analyse des Romans. In:
      JB Int. Germ.I,1, 108-128.

G. v.Wilpert (1961) :
      Sachwörterbuch der Literatur. Stuttgart, 3.Aufl.

B. Woledge (1965) :
  Old Provencal and Old French. In: Eos. An Enquiry into
  the Theme of Lovers' Meetings and Partings at Dawn in
  Poetry.  Ed. by A.T. Hatto. The Hague, 344-389.

J. Worstbrock (1963) :
  Der Trojastoff bei Herbort von Fritzlar. In: ZDA 92,
  248-274.


R. Zundel (1956) :
  Der Minnebegriff im Minnesang. Diss.masch. Tübingen.